Super ET

© 2006 e 2008 Giulio Einaudi editore s.p.a., Torino

Prima edizione «I coralli»

www.einaudi.it

ISBN 978-88-06-19159-7

# Mariolina Venezia
# Mille anni che sto qui

Einaudi

Mille anni che sto qui

Devi farmi una carta, perché non mi ricordo piú niente. Il nome dei miei figli, e chi era mio padre. Me la porterò sempre in tasca.

Vabbene, adesso te la faccio.

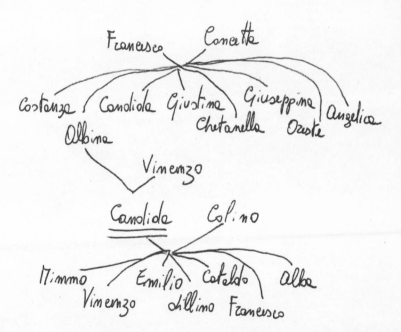

Quella sottolineata sei tu. E io ancora non ci sono.

I

Certi giorni si alzava un vento colorato che sollevava la polvere e tutto iniziava a lievitare come la pasta del pane sotto la coperta. I fatti già successi tornavano e quelli ancora da venire diventavano visibili. In quei giorni gli spifferi sotto le porte sembravano risatelle di bambini non nati, avvolgevano le caviglie delle donne con lacci impalpabili, che le facevano inciampare. I vetri delle finestre sbattevano. Il latte cagliava nei secchi. Gli uomini si mettevano addosso i vestiti sbagliati e le bambine diventavano donne.

Anche Gioia, dovunque si trovasse, lo avvertiva. Le veniva da ridere e da piangere e girava su se stessa nel mezzo di un pensiero, poi tutto riprendeva come se niente fosse.

Era sempre cosí. Era sempre stato cosí, fin dai tempi in cui Mammalina le mostrava il topo fatto col fazzoletto arrotolato che fuggiva nel palmo della mano, animato di vita propria, mistero infantile che la strappava alla noia, alla paura delle punture, alle sue monete d'oro col cuore di cioccolato che si scioglieva, ai lunghi pomeriggi di malata nel letto che si riempiva di montagne e di caverne, di stagni ghiacciati e di deserti dove certe volte si perdeva.

La tristezza di Gioia arrivava da lontano. La sorprendeva all'improvviso nel vagone di una metropolitana, alla fermata di un autobus, mentre attraversava la strada, fra la folla. A volte ne sentiva il rimbombo quasi impercettibile nella notte, come zoccoli di cavallo sul terreno quando si avvicinano, gli zoccoli dei cavalli dei briganti coi mantelli neri, che battono come un cuore, come un tamburo, che riempiono l'oscurità di bisbigli, e poi di grida. Gioia la cancellava battendo le palpebre e guardandosi allo specchio. Si riordinava i capelli. Si spruzzava un po' di profumo.

Anche la felicità arrivava da lontano. Piú lontano ancora.

# Capitolo primo

Erano piú o meno le tre di pomeriggio del 27 marzo 1861 quando a Grottole, in quella parte della Basilicata che si trova circa cento chilometri all'interno delle coste pugliesi, si produsse un fenomeno che restò poi proverbiale.

Sulla sua natura i grottolesi si interrogarono a lungo nelle ore successive, facendo congetture di ogni specie: per qualcuno era un miracolo, per altri stregoneria o con una sfumatura leggermente piú ortodossa tentazione del demonio, e solo per pochi, i piú istruiti, semplice manifestazione naturale.

Forse qualcosa c'entrava zí Uel u Furnaciar, ma poi, per come andarono i fatti, nessuno piú ci pensò. Certe volte, quando nell'argilla restava qualche pietruzza che non si schiacciava bene, i vasi dopo un po' di tempo si crepavano. Ma a lui non succedeva quasi mai. Le mani di zí Uel sul tornio erano veloci e precise, i polpastrelli mezzo bruciacchiati accarezzavano con delicatezza i fianchi rotondi delle cuccume e delle brocche, come dio deve aver accarezzato quelli di Eva, il giorno della creazione. Impastava, modellava, infornava. Sfornava lucerne, pedali e cuccume. Le segnava coi cerchi concentrici che molto tempo prima servivano a far comunicare i vivi coi morti in una lingua che nessuno piú conosce. Terrecotte sottili e sonore, porose, umide, trasudanti. Cuccume che trattenevano la freschezza dell'acqua. Tanto perfette e sottili che un grido avrebbe potuto creparle.

Lo stesso giorno in cui Roma non ancora conquistata

veniva designata capitale dell'Italia finalmente unita, a Grottole il primo ad accorgersi di questo fenomeno di altra natura ma non meno portentoso fu il piú piccolo di quelli della Rabbia, che si aggirava dalla parte della terra vecchia detta anche "s'rretiedd", un serrato ammasso di strade e case dove il sole non batteva mai, con una zoccola legata a una fune e lo stomaco che gorgogliava dalla fame.

Stava tirando la zoccola che non lo voleva seguire quando vide un liquido giallo scendere lentamente dallo stretto del Saraceno, fermarsi in una piccola pozza nel selciato sconnesso, e proseguire scalino dopo scalino, scivolando sulle pietre lisciate dagli zoccoli dei muli, infilando vicoli e vicoletti fino a tuffarsi giú dalla scarpata. All'inizio gli sembrò una pisciata di mulo, ma non aveva mai visto un mulo e nemmeno la vacca di Totonno pisciare tanto a lungo. Non poteva essere nemmeno che stessero vuotando i cantari di don Filippo Cocca, perché per quanti ospiti potesse portare il figlio che studiava all'Università di Salerno, ci sarebbe voluto un battaglione per fare tutta quella piscia. Tanta fu la curiosità che si lasciò sfuggire la zoccola e neanche se ne accorse. Si avvicinò al rigagnolo e lo osservò cosí da vicino che quasi ci metteva il naso dentro. Stava continuando a scorrere. Veniva giú con una consistenza fluida e viscosa, limpido e dorato sotto i raggi del sole, facendo qualche bolla grassa e riprendendo con piú forza come se la fonte di provenienza invece di seccarsi stesse crescendo.

Rocchino alla fine ci intinse un dito, lo annusò e poi lo assaggiò. Una smorfia gli contrasse il viso, di dolore o di piacere non si capiva.

A quell'ora nel paese c'erano solo donne, bambini, storpi e matti. Gli uomini validi non erano ancora tornati dalle campagne. Rocchino si mise a leccare di faccia nella pozzanghera immergendosi tutto, ungendosi i piedi, le mani, la coccia pelata, e finendo col rotolarcisi dentro come un maiale nella merda. Era olio, olio d'oliva!

Un suono di campane gli rimbombò nelle orecchie, sentí

la vita che gli scorreva dentro grassa e untuosa e la morte secca che si allontanava. Quelli della Rabbia, diceva qualcuno, si erano mangiati un figlio appena nato arrostito alla brace, un inverno di carestia. Un odore stuzzicante, indimenticabile, aveva invaso il paese per giorni.

Mentre Rocchino grugniva di piacere e quasi soffocava di ingordigia, il secondo a cui il fenomeno apparve in tutta la sua stranezza fu Felice la Campanella, che se ne stava immobile su un sedile di pietra, sperando invano che il sole del pomeriggio gli scaldasse il cuore, quando vide la pisciata del demonio farsi strada nel fango del sentiero che portava all'orto di zí Titt.

Emerse per un attimo dal ricordo che lo teneva incatenato da piú di vent'anni, il corpo prosperoso di sua moglie trafitto da trenta coltellate.

Quando era uscito dalle Regie prigioni di Napoli aveva perso la parola, tranne le bestemmie che biascicava come Ave Maria, e gli incubi della sua anima dannata gli erano affiorati sulla pelle. Dal collo fino alla vita e sicuramente anche sul resto del corpo, comprese le mani fino alla punta delle dita e forse anche le parti intime, era tutto un agitarsi di diavoli, di cuori spaccati, di donne nude e di scritte oscene che un tempo si animavano al guizzare dei muscoli e ora sembravano volersi rintanare nella peluria ormai incanutita del torace.

Il suo mantello nero svolazzava agli angoli delle strade mentre lui si rodeva di solitudine, con le mani a corna dietro la schiena e alla cintura corni e cornetti che tintinnavano a ogni passo nel tentativo ormai ridicolo di scongiurare la malasorte. Solo i bambini lo seguivano per tirargli le pietre, sorprendendolo alle spalle e nascondendosi veloci dietro un muro o nell'arco di una porta.

L'olio gli sembrò bile di demonio e pensò che il Maligno fosse venuto finalmente a prenderselo. Pronunciò allora una terribile imprecazione e si preparò a seguirlo con un certo senso di sollievo.

Fu a una femmina che venne l'idea.

Cumma Tar'socc' si avventurava lungo i muri screpolati, tuffandosi nell'ombra ed emergendo guardinga al sole, avvolta in uno scialle marrone sotto il quale nascondeva il pitale puzzolente che voleva svuotare in largo Sant'Andrea. A quell'ora non l'avrebbe vista nessuno perché chi non stava lavorando si era sicuramente appisolato. Lo svuotò furtiva sullo scivolo di pietra sul quale passavano le ruote del traino, davanti alla casa di sua cognata Agnese. Fu grande la sua sorpresa quando si accorse che gli stronzi galleggiavano in un lago giallo molto piú ampio di quello che avrebbe potuto produrre la sua famiglia, per quanto numerosa fosse.

Stava lí a interrogarsi sul fenomeno, sbilanciata sulla punta dei piedi, il collo allungato e teso come una gallina e il pitale appoggiato all'anca, quando il grido della cognata lacerò l'aria stagnante del primo pomeriggio facendo sollevare nuvole di mosche e risvegliando il paese inebetito: "Ca pzz scttà u' sagn' da n'gann", che tu possa buttar sangue dalla gola... L'ululio prolungato dell'"a" di "n'gann" rimbalzò contro i muri di pietra, si rifletté sinistro di strada in strada attraverso il groviglio dei vicoli e si scaricò in una pioggia di echi nei burroni della valle. Le donne vennero fuori dalle porte semiaperte pronte a gustarsi la rissa, ma ciò che videro fu molto di piú e settant'anni dopo qualcuna se ne ricordava ancora e lo raccontava ai nipoti insieme alle storie di san Pietro, del diavolo e della signora col porcello bianco che appare ai crocevia quando si perde la strada.

Agnese e Tar'socc' avevano appena iniziato a puntarsi e a darsi piccole spinte, con le unghie sfoderate come due gatte, quando Tar'socc' mise un piede in fallo e scivolò. Si ritrovò col culo a terra e il pitale rotto, e Agnese le fu subito addosso abbracciandola, spingendola e stringendola, con le gonne che si inzuppavano nel liquido vischioso e si appiccicavano alle gambe.

Le due cognate si misero le mani alla gola col gesto che si usa per tirare il collo alle galline, e Agnese stava torcendo gli occhi, tutta paonazza e scapellata, quando riuscí a girare la testa di Tar'socc' e a immergerla nel liquido. Tar'socc' restò un attimo senza fiato, poi prese un respiro che le gorgogliò sonoro nel gargarozzo e mormorò stupita, leccandosi la peluria sulle labbra: "iè iuogghj", olio, olio d'oliva! Le donne si guardarono, convinte che per la mancanza d'aria avesse perso il sentimento.

Seguí un minuto di silenzio, rotto da Lucietta, la figlia piú grande di Peppino Paglialunga, che si avvicinò alla pozza, intinse il dito con prudenza, gli diede un'occhiata e lo leccò. "È proprio olio", disse in italiano scandendo bene le parole con la sua vocina compunta, perché aveva studiato fino alla seconda elementare.

Un brusio percorse la folla delle femmine. Una cominciò a raccontare di quella volta che una sorgente di acqua limpida era zampillata sotto il letto di Nascafolta, ma nessuno la stava a sentire.

Che le novene promosse dal nuovo parroco avessero fatto effetto e quella sorgente miracolosa fosse venuta a salvare dalla fame i poveretti? Nonostante cumma Caniuccia con l'autorità dei suoi novantanove anni scongiurasse di non toccarne neanche una goccia, sicura come la morte che quell'olio fosse strabordato dai pentoloni dove bollono i dannati dell'inferno, la lasciarono a gracchiare come una Cassandra e si avventarono sul liquido miracoloso.

Lucietta si era tolta il fazzoletto dalla testa e l'aveva intinto nell'olio, trasportandolo poi prudentemente dentro casa come un bambinello, per andare a torcerlo dentro il pedale vuoto. E cosí tutte, chi col grembiule chi col fazzoletto, chi dentro un secchio di rame chi di legno, affondavano e torcevano con energia.

Risalendo il corso del rigagnolo arrivarono sotto casa di don Francesco Falcone. Ninetta, la piú giovane, la figlia di Zica Zica, alzò lo sguardo e si accorse che l'olio sgocciolava dalle feritoie sotto il magazzino. Guardò le altre indecisa sul da farsi, quando le campane si misero a suonare a festa.

Piú sotto il rigagnolo d'olio aveva suscitato altre reazioni: liti, stupore e discussioni. Don Valentino Blasone, maestro elementare insignito del diploma di Benemerenza, autore di una storia generale della letteratura lucana e sostituto del medico condotto, nonché cittadino onorario del comune di Miglionico, si era affannato a spiegare che il fenomeno non aveva niente di soprannaturale. Nessun miracolo, solo una questione chimica, aggregazione di molecole. Per un caso fortuito certi elementi presenti in natura si erano incontrati in qualche falda sotterranea, e combinandosi avevano prodotto il fluido altrimenti noto come olio d'oliva. Prima di usarlo, raccomandava, bisognava farlo osservare al microscopio, per via dei microbi.

L'eco del fatto era arrivata anche all'orecchio di don Antonio, il giovane parroco arrivato da Salerno, che per non sbagliarsi aveva deciso di far suonare le campane, fosse per ringraziare qualche santo, fosse per spaventare il demonio.

Gli ultimi a sapere quello che stava succedendo furono i diretti interessati, cioè la famiglia Falcone, e ultimo fra gli ultimi il piú interessato di tutti, don Francesco Falcone in persona.

Nella stanza piú alta della casa Concetta stava partorendo nuovamente. Il dolore era cosí forte e le grida cosí acute che le vibrazioni dovevano aver fatto scoppiare una a una tutte le giare conservate nel magazzino. Cosí, almeno, si disse. L'olio che contenevano si era versato giú attraverso i buchi tondi che servivano a far passare i gatti. Cinquanta quintali d'olio, quanti ne bastavano per un anno intero alla famiglia di don Francesco e a tutti i sottoposti.

La prima ad apprendere la notizia fu Licandra, la terza figlia allora tredicenne di don Francesco e della sua ex contadina Concetta. Stava insieme alle sorelle intorno al letto della madre che partoriva per la settima volta, senza contare i quattro aborti spontanei e i cinque provocati che aveva subito.

Nessuno, tranne Concetta stessa, nutriva piú la minima speranza che la Madonna concedesse la grazia tanto insistentemente richiesta in tutti quegli anni. Troppo cocente era stata la delusione le altre volte, ben sei, in cui don Francesco e tutti quelli della casa si erano illusi che stesse per nascere il maschio. Adesso don Francesco non aveva voluto saperne. Benché Concetta avesse le doglie fin dalla notte, era partito per le terre alla prima luce, infuriato come un brigante, dicendole di sbrigarsela da sola perché erano fatti che non lo riguardavano. Concetta, a parte che stava troppo male per pensare ad altro, non se l'era presa, perché aveva la resistenza di una mula, la mansuetudine di una pecora e la leggerezza di una farfalla, doti senza le quali non avrebbe resistito a lungo accanto a don Francesco, che invece di natura era furioso come una giornata di maestrale e non era neanche suo marito, per questo minacciava di sbatterla fuori ogni volta che qualcosa non gli stava bene, cioè ogni volta che partoriva una femmina.

Don Francesco non aveva ritenuto opportuno stipulare un contratto per appropriarsi di ciò che già gli apparteneva, cioè il corpo di Concetta in totale usufrutto, la sua disponibilità, devozione, e anche qualcosa che lui prendeva per amore e invece era pietà, una compassione profonda che Concetta riservava alle fruscole ferite, ai pezzenti e a lui, che poi non si capiva perché, visto che era ricco, sano e forte e le dava anche da mangiare.

L'unico motivo per cui don Francesco avrebbe potuto sposare Concetta è che gli partorisse un maschio, ma questo evento, tanto atteso anche da tutte e sei le loro figlie bastarde, non si era ancora verificato e le possibilità che si verificasse sembravano diminuire di giorno in giorno.

Prima di prendersi in casa Concetta, don Francesco era stato sposato con donna Nina, una grassanese che gli aveva trovato suo padre, già un po' avanti con l'età, gialliccia e molle, con le ossa cave come quelle degli uccelli, che aveva portato in dote le terre di Arsizz', Mazzam'pet e Sant' Làzzar', e la tenuta di Serra Fulminante che rendeva piú di mille ducati l'anno.

Donna Nina era stata educata in un convento di Napoli, dove aveva imparato a orlare i fazzoletti, a leggere le vite dei martiri, e soprattutto a guardare quelli che considerava bifolchi, e lui in prima fila, come se avessero potuto attaccarle il vaiolo da un momento all'altro. Si disprezzavano a vicenda. Dopo la prima notte di nozze, nella quale don Francesco aveva fatto il suo dovere, consegnando a sua madre il lenzuolo macchiato col sangue della sposa, lui e donna Nina, di comune accordo, avevano continuato a dormire insieme voltati ognuno dalla sua parte. Dopo un anno di matrimonio erano ancora senza figli.

Donna Nina trascorreva le giornate avvolta in una delusione astiosa, senza mettere il naso fuori dalla camera nuziale, il piú delle volte sdraiata nel letto a baldacchino con la scusa di qualche malattia, e lí dentro si respirava un'aria talmente stantia che don Francesco si sentiva mancare non appena ci metteva piede. C'era un olezzo di tavuto, accentuato dal profumo struggente dei gigli e delle candele che ornavano l'effigie di una Madonna dall'aria schifiltosa cui sua moglie era devota.

Accanto a donna Nina, don Francesco non riusciva a prendere sonno se non quando era stremato, forse per paura di svegliarsi direttamente nell'aldilà con le membra legate dai fili sottili dell'invidia, dai fascini di mummia imbalsamata di sua moglie. Ma non osava dirle di aprire le finestre per lasciar entrare l'aria, né di andarsene da qualche altra parte. Tanto meno osava abbandonare il letto coniugale perché avrebbe fatto scandalo.

Ma la notte della vigilia di San Giovanni un caldo prematuro e soffocante aveva fatto cuocere il sangue nelle vene di don Francesco. Arrivavano fino a loro, attutite, le canzoni che cantavano per strada. Alla fine aveva dovuto uscire dalla camera in cerca di aria pura, con la furia di uno che è stato chiuso ancora vivo nel tavuto.

Intorno al 21 giugno, il solstizio d'estate, il giorno raggiunge la massima lunghezza prima del declino. I cafoni iniziavano dal pomeriggio ad ammucchiare le ginestre nelle strade e nelle piazze. Si facevano fuochi per aiutare il sole a splendere nel cielo. Si raccoglieva la cenere da portare a casa per cacciare gli spiriti maligni e attirare l'abbondanza. Si cantava. Si saltavano le braci ardenti, ogni volta con lo stesso stupore, per ammogliarsi, e passare le gioie e le pene della vita a qualcun altro.

Don Francesco aveva aperto la finestra e il vento della notte gli era saltato in faccia, gli aveva accarezzato la barba nera e i capelli e l'aveva fatto sentire giovane e vigoroso. Ma per la prima volta in vita sua, insieme a quella sensazione lo aveva preso un pensiero, una specie di presentimento, che comunque fossero andate le cose, avesse anche evitato le trappole del malocchio, i sortilegi, l'invidia, le guerre e le malattie infettive, prima o poi sarebbe morto, e non c'era modo di sfuggire al fatto che quel suo corpaccione che sembrava tagliato nell'olivo sarebbe diventato molliccio e si sarebbe sfatto come i torsoli delle pannocchie e gli altri residui che buttavano nelle pozze per concimare la terra. La muina in basso mescolandosi a quei pensieri gli faceva girare la testa. Si era appoggiato al davanzale. Le braci e gli occhi delle ragazze brillavano nell'ombra. Una risata che aveva i toni bassi e caldi della cupa cupa, e poi saliva fino a diventare sottile come uno squillo di campanelle si distinse fra gli altri suoni. Don Francesco Falcone si sforzò di guardare nell'oscurità. Nella luce della luna e nei bagliori delle fiamme si accorse che stava succedendo qualcosa di straordinario.

Era sbocciata dalla sera alla mattina, con le labbra rosse come ciliegie, i capelli ancora liberi che le ballavano sulle spalle e il corpo rotondo e minuto, scuro e tornito come un chicco d'uva, coi seni che sembrava gli stessero fiorendo sotto gli occhi.

Non che non l'avesse mai vista, non era possibile in un paese dove tutti se non erano parenti erano perlomeno compari e commari, vincolo che in qualche modo valeva piú del sangue. Piuttosto, certe ragazze si sviluppavano da un giorno all'altro, come le rose che si aprono in una sola notte e il giorno dopo sono già sfiorite.

Restò a guardare incantato quel miracolo, lacerato dal desiderio di scendere giú e mescolarsi ai cafoni festanti, come aveva sempre fatto prima che arrivasse donna Nina, di mescolare la sua carne a quella della bambina che stava diventando donna, di sentire la vita che si faceva strada dentro di lei combattere con la morte che si faceva strada dentro di lui.

Una mano inconsistente gli si posò sulla spalla facendolo sobbalzare. Era donna Nina che lo pregava di chiudere la finestra, perché lo spiffero arrivava fin dentro la sua stanza e non poteva prendere sonno. Don Francesco obbedí docilmente e seguí sua moglie nel letto. La temeva, perché sapeva scrivere e leggere e aveva il sangue freddo come le lucertole.

Quando spensero la luce, Nina disse che è peccato essere sposati se non si hanno figli. Don Francesco lo sapeva benissimo e per questo si rodeva segretamente. Provò a rispondere che c'era tempo, ma lei ormai aveva deciso. Si era fatta due volte il segno della croce e aveva allungato verso di lui le sue mani secche e fredde. Don Francesco, che era forte e vigoroso, ma spesso si sentiva perso come un bambino senza mamma, non aveva saputo sottrarsi, e aveva consumato l'atto, mentre dentro di lui si inquinava l'acqua fresca e sfiorivano le rose, e la notte vinceva sul giorno e la vita si arrendeva alla morte.

All'alba, mentre Nina lo sorvegliava attraverso le palpebre socchiuse, perché aveva la capacità di vederci come i gatti, don Francesco si era vestito e si era avviato verso le terre.

Gli ci era voluto parecchio per vincere il disgusto che l'aveva preso, quella nausea da femmina forzata, quella sporcizia che la mancanza di desiderio gli aveva appiccicato sulla pelle, e ancora di piú gli ci volle per trovare ciò che stava cercando, perché i suoi possedimenti erano cosí vasti che a percorrerli tutti non bastava una giornata dall'alba al tramonto.

Stavano mietendo. A metà mattina aveva mangiato il pane col sangue fritto insieme agli uomini venuti dalla marina, e si era sentito meglio.

L'aveva trovata all'Ai Mar, mentre il sole stava cominciando a calare, che spigolava. L'aveva osservata coi suoi occhi tristi da rapace, poi le aveva chiesto a bruciapelo chi le avesse dato il permesso, perché era un uomo di poche parole e non gli era venuto niente di meglio per farle la corte.

Appena Concetta lo vide seppe che stava per succederle ciò che era successo già a sua madre, a sua nonna e a molte cugine, e faceva l'oggetto di certi furtivi ragionamenti con le compagne mentre andavano a prendere l'acqua. Non le passò nemmeno per la testa di sottrarsi. Lasciò il fratello in fasce sotto la quercia e gli andò incontro. Don Francesco l'aveva sentita palpitare mentre se la portava sul cavallo.

Ma quando furono al casotto di Santa Lucia successe una cosa inusuale, che non era successa né a sua madre, né a sua nonna, né alle sue cugine. Mentre lui la prendeva dalla vita per farla scendere da cavallo, Concetta fu vinta non dalla ricchezza dei suoi vestiti, né dalla virilità delle sue mani, ma dalla potenza della sua malinconia, e volle fargli un regalo supplementare, di quelli che i poveri usano fare ai ricchi. Insieme al corpo, gli diede qualcosa di sé che non avrebbe saputo come chiamare.

La prese sul materasso di foglie di granone del casotto. La pelle di Concetta sapeva di grano. Il sangue della sua persa verginità si mescolò a quello delle sue prime mestruazioni.

Non si era ancora finito di mietere a Calavrès e a Sant' Làzzar', che già le era cresciuta una bella pancetta rotonda a luna piena che gliela faceva desiderare ancora di piú. Nel frattempo cresceva anche la pancia di donna Nina. Avevano appena finito di ventilare quando donna Nina si mise a letto fissa per le nausee. Stavano seminando che ebbe la prima minaccia di aborto, e il grano era tutto verde quando entrò in travaglio. Ci stette per tutta una notte e il giorno successivo, ed era notte di nuovo quando diede alla luce un mostro con la testa di pesce, che campò soltanto poche ore, e lei non gli sopravvisse.

Cosí don Francesco si prese in casa Concetta, che stava anche lei per partorire, per fargli da serva e da puttana, giurando a se stesso che se gli avesse fatto un maschio, pezzente morta di fame com'era se la sarebbe sposata, tanto nel frattempo suo padre era morto e non doveva rendere conto a nessuno. Invece nacque una femmina e la chiamarono Costanza.

Alla nascita della piccola seguí per don Francesco un periodo di lutto strettissimo. Divenne ancora piú intrattabile e collerico e per ironia della sorte solo Concetta, diretta responsabile del suo malumore, sapeva come calmarlo.

Una volta superata la delusione, don Francesco si era attaccato alla figlia Costanza molto piú di quanto chiunque, e soprattutto lui stesso, avrebbe mai potuto prevedere. Quando la piccola gli correva incontro trotterellando e chiamandolo "papà", gli si illuminavano gli occhi e gli si scioglieva il cuore come se fosse rimbambito. A Costanza era permesso ciò che non era mai stato concesso a nessuno nemmeno immaginare: tirargli la barba, mettergli le dita nel naso e nelle orecchie, buttargli il cappello dal balcone e frugargli nelle tasche per vedere cosa le aveva portato.

A volte don Francesco, in un fugace sprazzo di lucidità, cercava di riportare nei ranghi quell'imperiosa figlia illegittima, ma la bambina era ormai cosí viziata, e caparbia e dispotica di natura, che non c'era niente da fare, e a don Francesco non restava che consolarsi pensando che aveva preso tutto da lui. Cosí si sfogava con Concetta.

Le diceva, accertandosi bene che Costanza non sentisse, che se quella bastarda di sua figlia gli avesse fatto ancora scappare la pazienza le avrebbe sbattute fuori di casa tutt'e due senza nemmeno una camicetta addosso, che di partiti vantaggiosi ad aspettarlo ce n'erano tanti, ma a Concetta queste minacce da un orecchio entravano e dall'altro uscivano. Sapeva che nessuno, oltre lei, era mai riuscito a penetrare cosí profondamente nel cuore di don Francesco Falcone, che era ombroso come un cavallo di razza, malinconico e collerico, ma tanto bisognoso di amore. Forte di questo segreto, Concetta viveva in casa sua senza altre incertezze che quelle riservate normalmente dalla vita, preoccupandosi che nel focolare ci fossero sempre una pignata di ceci e una di fave per i poveretti e ringraziando la Madonna tutti i giorni perché aveva voluto che a lei e alle sue figlie non mancasse il pane e neanche il companatico.

Dopo Costanza erano nate nell'ordine: Albina, Candida detta Licandra, Giustina, Gaetana detta Chetanella e Giuseppina. Il loro arrivo era stato foriero di burrasca, lacrime e pentimento, ma ogni volta, puntualmente, si era ripetuto il miracolo del rimbambimento di don Francesco, anche se nessuna di loro aveva preso nel suo cuore un posto ingombrante come quello occupato da Costanza.

Nel desiderio sempre deluso del figlio maschio, Francesco aveva educato le sue figlie illegittime dando a ognuna un po' di quella virilità di cui la casa mancava.

A Costanza aveva insegnato a far di conto, tanto che all'epoca in cui si svolgono questi fatti era lei, appena diciassettenne, che portava la contabilità di tutti i proventi delle terre paterne, delle sue masserie, di quello che gli dovevano i mezzadri e delle spese che bisognava sostenere.

Albina aveva del maschio, e in particolare del padre, l'irascibile incapacità di effusioni, la schiettezza, freddezza, durezza, in altre parole l'orgoglio tignoso che l'avrebbe portata a schiattare prima di rivelare apertamente una passione o un cedimento.

Licandra sapeva usare la schioppetta. Per il resto era bella, dolce e femminile e morí giovane, di malaria.

Giustina si volle istruire, tanto che quando ne ebbe bisogno si guadagnò da vivere facendo la maestra.

Chetanella fin da bambina andava a cavallo come una furia, con le gambe aperte a cavalcioni, e non, come fanno di solito le donne, seduta di sghembo a gambe chiuse.

Giuseppina del maschio aveva la cosa piú sconveniente, perché aveva ereditato la passione di suo padre per le donne, e quando il fatto divenne per tutti un'imbarazzante evidenza si cominciò a tenerla rinchiusa in qualche stanza arretrata della casa dove finí con l'essere dimenticata, e dove, ormai placate le intemperanze dei sensi, trascorse senza farsi notare un'interminabile esistenza da zitella.

In quel pomeriggio di marzo del 1861 che la storia rese famoso per altri motivi, Concetta partoriva senza la levatrice. Cumma Rachele, la mammana che aveva fatto nascere tutti i bambini di Grottole e molti altri ne aveva spediti al creatore con gli infusi di prezzemolo e il ferro da calza, era ormai troppo vecchia per esercitare e si scomodava solo nei casi disperati.

Concetta istruiva le figlie fra un grido e l'altro, perché ormai sapeva a memoria come comportarsi, ma questa volta la cosa si presentava difficile perché il parto era podalico. A forza di spingere, Costanza le aveva ridotto la pancia tutta un livido, e Albina, che non perdeva occasione per dare addosso alla sorella, glielo stava rinfacciando dicendole che era tutta colpa sua se le cose non stavano andando come si deve. Licandra, in mezzo alle grida della madre e agli strilli delle sorelle, aveva sentito uno strano vocio sotto casa. Il suo primo pensiero andò ai briganti, delle cui gesta, nel bene e nel male, si parlava dappertutto. Si affacciò emozionata, perché in cuor suo stava dalla loro parte. Appena informata dell'accaduto era scesa nel magazzino dove aveva potuto verificare l'ineluttabile gravità del fatto.

Era il tramonto quando, come tutte le sere, mentre a Torino il mastro artificiere fatto venire apposta da Napoli preparava i fuochi d'artificio, i contadini grottolesi tornarono dalle campagne, chi sul traino, chi sul mulo, chi attaccato alla coda del ciuccio, ma la maggior parte a piedi. Dietro a tutti veniva don Francesco, sul suo cavallo nero, seguito dai due ronzini dei suoi aiutanti.

Le campane suonavano il *Te deum*. Benché stanchi della fatica della giornata da sole a sole, i contadini arretrarono leggermente sulla salita che portava alla piazza, chiedendosi se il nuovo sacerdote fosse impazzito, fosse semplicemente inesperto, o fosse successo qualcosa di inatteso, nella loro mente sinonimo immediato di disgrazia.

Avvolto nel mantello nero, con i baffi arricciati e la schioppetta sotto il braccio, don Francesco pensava a Concetta, sperando con tutte le forze che le cose fossero andate per il meglio, ma non l'avrebbe confessato a nessuno, nemmeno a se stesso, nemmeno sotto tortura. Fu accostato da Tommasino, uno dei tanti figli delle tante femmine che quella disgraziata di Concetta faceva mangiare a sbafo in casa sua.

Tommasino era stato scelto perché correva veloce, per essere il primo a dargli la notizia. Quando don Francesco lo vide, il cuore gli balzò nel petto. Se fosse stata ancora una femmina non avrebbero osato farlo aspettare all'incrocio della Via Nuova. Era un maschio! Solo questo poteva giustificare tanta fretta. Si sentí morire dalla felicità ma dal suo viso sanguigno non trapelò la minima emozione. Tommasino gli sussurrò nell'orecchio che avevano perso l'olio, tutti e cinquanta i quintali, fino all'ultima goccia, perché le giare si erano rotte. Sulle prime don Francesco non capí di cosa stesse parlando.

Tommasino gli ripeté la notizia altre tre volte. Guardò il suo viso oscurarsi come il mare che non aveva mai visto prima di un maremoto o come il cielo che aveva visto tante volte prima di un temporale, e se la diede a gambe con tutta la forza e la velocità che aveva in quegli stecchi, disperdendosi nelle stradine buie e strette di San Nicola, dove il cavallo non avrebbe potuto seguirlo.

A casa Concetta piangeva. Un po' per la contentezza della Madonna che le aveva fatto la grazia, un po' perché versare l'olio porta male, un po' perché questa volta non poteva proprio immaginare cosa avrebbe fatto don Francesco. Piangeva e rideva e si attaccava il figlio al petto. Era maschio.

Quando Licandra le aveva raggiunte, nella stanza dove stava partorendo da ore senza risultato, e aveva detto quello che era successo, tanta era stata l'agitazione che aveva sentito le viscere rivoltarsi e quel disgraziato di un figlio si era finalmente girato. In pochi minuti era già fuori, tirato da Albina che non aveva ancora tagliato il cordone ombelicale e già gridava incredula: è maschio, è maschio!

Don Francesco entrò nella stanza con passo di tempesta e faccia di uragano, la doppietta ancora ad armacollo e il cappellaccio calato in testa. Era ora di finirla. Tutte se ne andavano, dalla prima all'ultima, femmine di sfortuna, rovina della casa, cambiali scadute, questa volta non avrebbe sentito ragioni, non si sarebbe fatto intenerire da nulla, da nessuna di quelle smorfiose insolenti e pidocchiose, via senza aspettare un secondo e senza niente in tasca, che già la tela che portavano addosso gli era costata troppo cara, neanche nominare le voleva piú sentire, via e basta, come se non fossero mai esistite. Cinquanta quintali d'olio. Sparsi giú per la via come l'acqua sporca dei piatti, come una pisciata di mulo, ecco che succede a mettersi tante femmine in casa.

Concetta scostò il lenzuolo e prese il bambino che non aveva ancora fasciato. Lo sollevò lentamente reggendolo sotto le ascelle, con la piccola virilità in mostra. Don Francesco si fermò come un diavolo davanti all'ostia. Arretrò di qualche passo e si impuntò come un ronzino. Osservò meglio il pene minuscolo e molle, le palline non ancora scese e tutto il resto, senza credere ai suoi occhi. Gli tremolò il viso come una montagna sul punto di franare. Strinse le labbra per non scoppiare a piangere. Imbracciò la doppietta, si affacciò alla finestra e sparò a lungo per la felicità.

## Capitolo secondo

I preparativi per il matrimonio di Concetta e don Francesco durarono un anno. Prima ci furono i festeggiamenti per il nuovo nato, con galli e galline sgozzati in abbondanza e distribuiti ai mezzadri, ai manovali, a quelli che lavoravano per don Francesco, piú gli altri che in qualche modo vi erano imparentati, insomma tutto il paese. Si fece strage di agnellini da latte e di capretti, di conigli e di cacciagione, e le donne impastarono foccazzole, cavarono cavatelli, torsero ricchitedde, arricciarono scr'ppelle col miele e col vincotto, affolsero calzoncelli con la crema di ceci o la marmellata di amarene, come se Natale Carnevale e Pasqua fossero arrivati tutti insieme.

Si mangiò per intere giornate, mentre il piccolo frignava nella sua culla di ferro battuto da signore, con Concetta che non lo lasciava un istante, e tutte le sorelle che accorrevano a ogni suo fiato. Si ballò al suono dell'organetto, e ci furono piú fidanzamenti in quella circostanza che in tutti gli sposalizi successivi almeno per un anno. Don Francesco era cosí contento che per un periodo concesse il riposo settimanale agli uomini che lavoravano nei suoi campi, e fece la dote ad almeno un paio di ragazze di famiglia povera che altrimenti sarebbero rimaste zitelle.

U patrun de scuppiett', è nat u patrun de scuppiett', diceva ammiccando a tutti quelli che incontrava. Andava in giro con un'espressione beata, come se sapere che ci sarebbe stato qualcuno dopo di lui a prendere il suo nome e a ereditare le terre lo avesse almeno in parte sollevato da quella mania della morte che ogni tanto lo rendeva intrattabile.

Era come se un universo senza centro avesse finalmente trovato il suo sole, e le cose nella casa avessero cominciato a girargli intorno.

Non importava piú a nessuno se Costanza faceva le bizze, o Albina si rodeva di invidia per la sorella. Adesso ognuno aveva il suo posto e lí doveva stare, perché tutto quel mondo esisteva con un'unica finalità: essere tramandato a quel bebé frignoso che aveva imparato a comandare fin dalla culla, e di lí faceva correre tutti, talmente esigente da diventare odioso alla sua stessa madre, che si ridusse a fargli da serva e lo allattò fino all'età di quattro anni, ma da allora in poi, e per sempre, lo disprezzò.

Superati i fasti del battesimo e i postumi dei festeggiamenti, le notti in bianco che il bebé frignone imponeva a tutta la casa e la delusione inconfessata di don Francesco per il brutto carattere del figlio, iniziò l'epoca dei sogni. Sembrava a tutti, adesso, di essersi sottratti ai capricci della sorte, e di potersi finalmente proiettare in un futuro che aveva la prevedibilità rassicurante e persino un po' noiosa dei desideri accarezzati troppo a lungo.

Concetta sentiva una nuova pace nell'animo, perché in tutti quegli anni non aveva scordato un solo istante che viveva nel peccato. Adesso vedeva finalmente la possibilità di mettere le carte in regola anche col Padreterno.

Guardando il grano che spuntava nei campi, don Francesco si perdeva in fantasticherie di discendenza, immaginandosi cosa ne sarebbe stato del suo seme, delle sue terre e del suo nome, che ormai si sarebbe propagato attraverso le generazioni. Già progettava come avrebbe istruito il figlio, cosa ne avrebbe fatto e con chi l'avrebbe fatto imparentare.

Finalmente riconciliato con la vita e con la morte avviò i lavori per ingrandire la casa e la tomba. La cappella dei Falcone da allora in poi si distinse sulla collina del cimitero nuovo per la bellezza e l'imponenza dei suoi marmi rosa e neri, e l'espressività dell'angelo col viso di Licandra che ci fu messo a guardia. La casa, invece, si trasformò in un'impresa senza capo né coda, un cumulo di lussuose macerie dove la famiglia Falcone si aggirò negli anni a venire nella polvere sollevata dai suoi sogni infranti.

La piú contenta di tutti per la piega che avevano preso gli avvenimenti era Albina.

Fin da quando poteva ricordare, forse prima ancora che le fosse dato il dono della parola, o prima di vedere la luce, Albina si era rosa d'invidia per la sorella maggiore Costanza. Proprio l'invidia, forse, l'aveva spinta a nascere. Qualunque cosa sua sorella dicesse, mangiasse, guardasse, si trasformava immediatamente per lei in una morsa che le stringeva il cuore e le annodava le budella. Se Costanza era malata, se le pigliava la scarlattina, o la scabbia, o la diarrea, Albina si sentiva morire all'idea che la stessa cosa non fosse toccata a lei. L'ingiustizia che abitava quelle terre da quando era nata la storia, la rabbia di tanti popoli derelitti che lí dentro si erano amalgamati e persi, sembrava essersi annidata nel petto di Albina e nell'invidia esagerata che provava per sua sorella.

Di tutto questo Costanza non si accorgeva. Cresceva imperiosa e chiassona, con le carni fulgide, sode e ben tornite, il viso di luna piena, gli occhi brillanti e le labbra voluttuose, sempre a suo agio dovunque si trovasse, con una brezza leggera che accompagnava il suo passaggio, mentre Albina veniva su secca e un po' legnosa come se un verme solitario le scavasse l'anima.

Malgrado la secchezza, che all'epoca era sintomo di miseria, quindi molto mal vista, non si può dire che Albina fosse brutta. Era alta, con la fronte ampia e i lineamenti severi di certe madonne bizantine che spuntavano all'improvviso fra la parietaria nelle grotte dei dintorni. Non sorrideva mai.

Al battesimo del fratello, Albina aveva conosciuto il figlio del barone Lacava di Montescaglioso, Aurelio. Se non fosse nato il maschio e don Francesco non avesse deciso di sposare Concetta, le sue figlie sarebbero rimaste bastarde. Per quanto ottimi partiti, avrebbero potuto aspirare al massimo a qualche artigiano benestante o a qualche piccolo possidente. Ma adesso la musica era cambiata. Questo Aurelio si era fatto avanti durante i balli.

Dopo una breve esitazione fra Albina e Costanza la sua scelta era caduta su Albina, non perché fosse rimasto colpito dalla sua bellezza severa, piuttosto il fulgore dell'altra gli era sembrato promettere sospiri e patimenti, mentre a lui premeva di risanare quanto prima le finanze di famiglia. Ad Albina non era parso vero che un barone la preferisse alla sorella, ed era pronta a giurargli fedeltà eterna, anche se Aurelio era corto e malcavato e per guardarla negli occhi doveva starsene col naso all'insú.

Mentre Ciccillo il barbiere suonava la fisarmonica, fra una spasa di pasta e qualche costola di capretto, Aurelio aveva fatto del suo meglio per sventolare i suoi quarti di nobiltà, introducendoli delicatamente nel discorso. Con finta indifferenza aveva nominato le sue terre, i Tre Confini, la Difesa, Rivolta Sant'Angelo, piú di duemila e settecento tomoli, guardandosi bene dal dire che la maggior parte erano incolte, intere distese di sterpaglie e di lumache, e le poche famiglie che ci tenevano a porzione facevano la fame.

Stavano passando i tavolieri coi dolci e i taralli inceleppati quando se n'erano andati a parlare sotto la luna, dove Aurelio le aveva recitato delle poesie d'amore di cui Albina non aveva capito un'acca.

Si erano scambiati la promessa che si sarebbero rivisti.

Ogni tanto lui veniva a Grottole col suo calesse, e per non dare nell'occhio si fermava all'abbeveratoio, giú verso la Via Nuova, che poi era l'Appia, costruita ai tempi degli antichi romani. Lí si incontrava segretissimamente con Albina, e restavano insieme un'oretta sotto lo sguardo annoiato di Giustina, che dietro un cespuglio qualche passo piú in là fabbricava carrozzelle di spine e intere corti di damine con le gonne di petali di papavero. Nell'oscurità delle frasche Aurelio mormorava parole d'amore prese in prestito dai libri di un certo Byron, a cui lei non dava ascolto. Pensava a come l'avrebbe invidiata la sorella per il partito che si era accaparrata.

Costanza, invece, era l'unica a non essersi accorta del fidanzamento di Albina, nonostante lei facesse di tutto per farglielo notare, e ormai lo sapessero anche le pietre. La primogenita di don Francesco continuava imperterrita a occuparsi di certe sue faccende nelle quali nessuno, preso com'era dai propri affari, andava a ficcare il naso.

Passato un tempo conveniente Aurelio venne a chiedere la mano di Albina a suo padre e si fidanzarono ufficialmente. Adesso i loro incontri non avvenivano piú all'ombra dell'abbeveratoio, spauriti per ogni frasca spezzata, ma altrettanto scomodamente sul divano di casa con le molle rotte, in mezzo ai calcinacci ammucchiati dagli operai napoletani che don Francesco aveva fatto venire per restaurare la casa. A sorvegliarli c'era sempre qualcuna delle sorelle minori, Giustina o Chetanella, che si ingozzavano di ciliegie sotto spirito fino a diventare brille.

I discorsi di Aurelio si erano fatti meno romantici, con grande sollievo di Albina. Adesso finalmente si parlava di tomoli di terra e di capi di biancheria da portare in dote. Tanta era la felicità di Albina, in quel periodo, che dimenticava di essere invidiosa per intere mezze giornate.

Ma questa improvvisa impennata della sorte non riuscí a sottrarla al suo destino, e l'ombra di Costanza si allungò ancora su di lei come quella di una quercia su un cespuglio.

Quando Aurelio aveva chiesto la mano di sua figlia, don

Francesco aveva messo come unica condizione il rispetto delle usanze, cioè che il matrimonio di Albina avvenisse dopo quello della sorella maggiore. Il problema è che Costanza non era nemmeno fidanzata. Con tutti i partiti che avrebbe potuto avere faceva la difficile, la schizzinosa, la sfuggente, e non si capiva cosa andasse cercando.

Concetta cominciò a dirle che doveva andare da zí Uel u Furnaciar, per farsi impastare nell'argilla del fiume il marito adatto a lei, per farsi modellare sul tornio, seccare al sole e cuocere nella fornace uno che soddisfacesse le sue numerose esigenze e fosse in grado di sopportarla. Questo detto rimase poi nella famiglia, perché ce ne fu sempre una che non si poteva accoppiare, come se il padreterno in casa loro ci mandasse ogni volta qualche pezzo unico, un esemplare spaiato, prezioso e inutile come una scarpa senza gemella.

Per il fatto che Costanza non si fidanzava, Albina non dormiva la notte. Si voltava e si rivoltava nel letto come se fosse cosparso di spine della corona di nostro Signore, e qualche volta sognava di ammazzarla. "Sorella mia sorella mo si arrotano li cortella, li cortella so arrotati e l'ora mia è arrivata". Ammazzala, ammazzala pure! Subito. Poi si pentiva. La barca correva lungo il fiume che portava all'inferno. Un arrotarsi di coltelli. Uno sventolare di code di ciuccio sulla fronte, uno spuntare di ossicini parlanti nei campi. Donne con voce di ranocchia. Il sabato sera Albina era costretta a confessare peccato di pensiero e Costanza prosperava e non si decideva, col sorriso olimpico sul viso di luna piena.

Anche i preparativi del matrimonio di don Francesco con Concetta andavano per le lunghe, per colpa dei lavori in casa.

Don Francesco aveva l'animo del contadino e i lussi lo snervavano, ma in questa occasione su un colpo di pazzia aveva deciso di far venire da Napoli un architetto e degli operai specializzati che rendessero l'abitazione in cima al paese, già grande e confortevole, simile a quei palazzotti signorili ornati di fregi e di stemmi che aveva visto nell'unico viaggio fatto a Napoli, per poterci ospitare degnamente i figli e i nipoti e tutta una discendenza che si augurava numerosa.

Concetta si era opposta con tutta se stessa. Temeva l'invidia e presagiva sventura. Le forze violente del malocchio, che colpiscono l'ostentazione di felicità e ricchezza. Si stava scordando che nascondevano sotto gli scialli le guance fiorenti delle figlie perché le occhiate malevole di chi pativa la fame non le facessero seccare? Da quando era entrata in casa di don Francesco, Concetta si sedeva in punta di sedia, faceva il segno della croce su ogni boccone e chiedeva perdono al padreterno perché viveva nell'abbondanza mentre i suoi fratelli e le sue sorelle morivano di fame.

Ma non c'era stato niente da fare. Era arrivato quel signore con la paglietta, che fumava toscanelli puzzolentissimi, e aveva iniziato ad aggirarsi per casa con l'occhio clinico e l'espressione enigmatica del medico che visita un malato grave, bussando sui muri e auscultandone il suono con scoramento, prendendo misure, decidendo di sfondare o di chiudere, mostrando a don Francesco dei bozzetti di cui lui non capiva un accidente, ma si affrettava ad approvare per non fare la figura dello zotico, e quando Concetta gli chiedeva qualche notizia, alzava la voce come faceva sempre quando si trovava in difficoltà.

Gli operai specializzati venuti da Napoli furono alloggiati sull'arcuofolo, che era un piano rialzato dal quale si accedeva ai tetti, usato da sempre un po' come ripostiglio un po' come alloggio per gli ospiti, e lí ammucchiarono tutta la loro roba, bauli lettere e fotografie, che Gioia ritrovò molti anni dopo, arrampicandosi lí sopra di nascosto alla mamma, alla nonna e alle zie.

La fatica piú grossa era tenerli lontani dalle ragazze,

perché farli stare sotto lo stesso tetto era come far dormire i lupi con le pecore, o mettere il fuoco con la paglia, e Concetta dovette fare la guardia giorno e notte per impedire che ci andasse di mezzo qualcuna delle figlie, limitando i danni a qualche giovane vicina che veniva ad aiutarla nelle faccende domestiche.

Furono presi anche operai del posto, e presto fra loro e i forestieri si creò una specie di gara, che poi si trasformò in una guerra, che diede luogo a un armistizio, che a sua volta diventò un'alleanza per fregare i soldi a don Francesco dandosi da fare il meno possibile. Cosí i napoletani lasciarono da parte le loro teorie sugli stucchi e gli ornati, e i grottolesi si tennero i segreti che conoscevano su come far seccare l'argilla e trasportare le pietre, e da allora andarono d'amore e d'accordo.

L'architetto di Napoli se n'era andato dopo una settimana dal suo arrivo, con la scusa di un problema imprevisto e la promessa di tornare al piú presto. Invece era iniziato fra lui e don Francesco un carteggio nel quale sfilavano tutte le disgrazie, i fastidi e gli impedimenti che una mente fantasiosa può concepire, fin quando don Francesco smise di parlarne, e si metteva a sbraitare come un ossesso se qualcuno lo nominava.

Intanto gli operai napoletani bivaccavano dentro casa. Avevano portato una ventata di allegria che rimase memorabile. I grottolesi musoni li osservavano con curiosità e diffidenza, come animali della stessa specie ma di razza diversa, finché ruppero il ghiaccio e cominciò la stagione delle feste. Quando molti anni dopo nessuno si ricordava piú di loro, c'era sempre una donna che cucinava un piatto o qualcuno che diceva una parola che risaliva all'epoca del loro soggiorno. C'era anche un certo Ciro, che era sputato il capomastro, e la reputazione di sua madre Assunta fu l'unica cosa finita che si lasciarono alle spalle.

Quando fu chiaro che mai e poi mai la casa sarebbe stata pronta in tempo per il matrimonio, don Francesco e Concetta decisero di sposarsi senza aspettare, e iniziarono a preoccuparsi di altre cose.

Concetta andò a Matera per comprare la stoffa del vestito, allontanandosi per la prima e ultima volta in vita sua dal paese dov'era nata.

Le sembrò di arrivare a Roma, o a Nuova York, di cui aveva sentito parlare qualche volta, e fu presa da una nostalgia tenace, un senso di solitudine e di vertigine che si placò soltanto piú tardi quando dalla Via Nuova, tornando, vide spuntare le macerie della chiesa caduta di Grottole.

Il cuore le batteva forte mentre chiedeva indicazioni. Non aveva mai visto tante facce estranee, e non sapeva come comportarsi. Parlò poi per anni di questo suo viaggio. Dei Sassi, che vide dall'alto, con le persone che sembravano tante formichine. Di un funerale di signori, con la carrozza tirata da sei cavalli neri e la musica. Della vetrina di un negozio dove vide le prime fotografie della sua vita, e scappò come se avessero potuto inseguirla.

Scelse una seta di un colore che cambiava come il cielo di marzo, talmente bella che quando l'ebbe affidata a Poltina la sarta per farsi confezionare il vestito, quella si ritrovò dalla mattina alla sera la casa piena di donne che venivano ad ammirare la stoffa e i prodigiosi cambiamenti dei suoi colori. Per le figlie Concetta trovò una pezza di velluto azzurrino, di metratura cosí ampia che fu possibile confezionare un vestito per ognuna di loro, e ne rimase ancora un bel pezzo, che andò a finire sull'arcuofolo in mezzo a tutte le altre cose che non si sapeva dove mettere, e fu ritrovato da Gioia molto tempo dopo, diventando a seconda dell'umore un mantello di regina, un sudario, o il mare.

Don Francesco si diede da fare a organizzare il banchetto, ordinò ai pastori di mettere da parte le bestie migliori e ai contadini di procurare il miele per i dolci. La famiglia era talmente affaccendata che nessuno si accorse del cambiamento di Costanza.

Da un po' di tempo aveva iniziato a frequentare la chiesa peggio della piú bizzoca di tutte le bigotte. Quando non c'erano funzioni andava per la novena, e i vespri, e le orazioni dei morti, e si confessava tutti i giorni che dio ha creato. Albina arrivò alla conclusione che volesse farsi monaca e poco mancò si facesse suora anche lei per gratitudine al Padreterno che finalmente si era deciso a passare dalla sua parte.

Solo Concetta, quando se ne accorse, cominciò ad avere qualche presentimento, perché Costanza non aveva l'aria pallida e l'occhio stravolto di chi si prende del Signore, ma al contrario si era fatta ancora piú bella e colorita, con gli occhi brillanti e il sorriso che le animava tutte le fossette, e quel venticello che sempre la accompagnava era diventato una specie di zeffiro, e ad ascoltare bene si sarebbe potuto sentire anche un suono di campanelle.

Quando la cosa stava ormai per succedere, Concetta non fece nulla per impedirlo. Da quando erano iniziati i lavori non aveva mai smesso di aspettarsi il peggio.

Il giorno della vigilia del matrimonio don Francesco andò a dormire nella tenuta di Mazzam'pet per non vedere il vestito da sposa della sua futura moglie. Dando libero sfogo all'innata ingiustizia del suo amore materno, quella sera Concetta chiamò Costanza e senza chiederle nulla le diede una cintura nella quale aveva cucito dieci marenghe d'oro. Sapeva che ne avrebbe avuto bisogno. Infatti il giorno dopo Costanza scappò con don Antonio, il prete giovane venuto da Salerno, ma i marenghi furono solo un di piú, perché portò con sé tutti i soldi della vendita del grano.

Quello che seguí fu come un'invasione di cavallette, o una gelata tardiva che secca i germogli sugli alberi. Le cose che avevano iniziato a crescere e prosperare diventarono polvere e desolazione. Il matrimonio di don Francesco e Concetta venne annullato per sempre e don Francesco si sentí come se gli avessero dato una coltellata nel cuore e rimase per parecchio tempo come morto. Quando si riprese gli si erano imbiancati i capelli ed era tanto debole che non ebbe nemmeno la forza per minacciare Concetta di sbatterla fuori insieme a tutta la sua prole.

Per simpatia anche Concetta invecchiò di botto. Lei che aveva resistito alla devastazione delle ripetute maternità, conservando attrattive sufficienti per dare a suo marito la voglia di ingravidarla di continuo, si rinsecchí tutt'a un tratto e iniziò a rimpicciolirsi in un processo che andò avanti per decenni e non si fermò se non con la sua morte.

Don Francesco non tuonava piú, ma borbottava e si lagnava. Voleva stare sempre in un posto diverso da quello in cui si trovava, e si aggirava per le sue terre come un'anima in pena, suscitando la compassione dei braccianti che un tempo l'avevano temuto.

Ma le piú grandi devastazioni questo fatto le produsse nell'anima di Albina. Un'oppressione pesante come la pietra del tavuto sembrò calarle addosso. Non pensò neppure un istante di vendicarsi, ma si limitò a odiare Costanza con tutte le sue forze, e questo sentimento crebbe ogni giorno che stette sulla terra, ravvivato alla vista dei marenghi d'oro che i figli di Costanza portavano appuntati sul gilet, quando poi diventarono grandi e si aggirarono per il paese con le loro facce contente. Fu talmente forte che non si estinse con lei, ma si trasmise alle generazioni future come un ricordo che agghìaccia il sangue in notti di inspiegabile insonnia.

Il matrimonio di Albina e Aurelio saltò. All'indomani del fatto, quando lui si presentò a casa sua, lei gli fece dire che non lo voleva piú vedere. Gli mandò a restituire l'anello di fidanzamento e le lettere d'amore che le aveva scritto, senza spiegazioni, e nessuno seppe mai se quel giorno Aurelio fosse venuto per darle il benservito o se invece sarebbe stato pronto a chiudere un occhio sulla faccenda, in nome, se non dell'amore, perlomeno dell'interesse.

Un'ottusa onestà spingeva Albina a fare del rancore il suo unico rifugio. Si sposò non molto tempo dopo con uno scarparo che si chiamava Vincenzo, un pezzo d'uomo che l'avrebbe anche amata se lei non gli avesse fatto mangiare pane e fiele dal primo giorno che trascorsero insieme. Diventò allegra, con la battuta tagliente e la risata in tasca. Quando passava, si sentiva un vento freddo, di quelli che fanno ingiallire le foglie e venire il mal di gola, e non ci fu piú niente che sembrò impressionarla, nemmeno quando poi col marito successe quello che successe.

Capitolo terzo

Il 13 settembre 1862 a Serra Fulminante arrivarono i briganti e cosí ultimarono lo scatafascio. Si sistemarono dentro la casa patronale che era stata del padre di donna Nina e fecero baldoria per intere settimane saccheggiando i magazzini e ingozzandosi di provoloni, di vino, di galline e di capretti. Si ubriacavano di sangue, ballavano, si avvolgevano nei tessuti damascati delle tende, con un'allegria funesta da condannati a morte. Dopo il loro passaggio non restava piú nulla, perché si accanivano su tutto ciò che trovavano, come se si stessero vendicando non tanto dei padroni quanto delle cose, perché fino al giorno prima la loro vita valeva meno di una roncola, e ancora meno valeva dopo.

In mezzo a loro c'era Rocchino, uno dei figli di quelli della Rabbia, che era stato precettato per partire militare, e all'inizio era tutto contento perché gli davano da mangiare due volte al giorno e l'avevano rivestito da capo a piedi con una divisa nuova e un bel paio di scarpe. Neanche nei suoi sogni piú rosei avrebbe mai immaginato di possedere un giorno un paio di scarpe fatte apposta per lui. Le guardava, le accarezzava e un altro po' ci parlava, ma le aveva calzate da poco che era iniziata la tortura. Si sentiva stringere, pungere, grattare. Le scarpe gli attanagliavano i piedi come una morsa. Se li sentiva gonfiare, urtare, sfregare. Piú passava il tempo piú gli si riempivano di bolle, e le bolle si rompevano, la carne viva si infiammava, e il dolore era cosí lancinante che gli si arrampicava per la schiena e gli esplodeva in testa. Alla fine se le tolse. Tremando e respirando di sollievo si chiese perché mai in tutti quegli anni le avesse desiderate tanto.

Quando il sergente torinese passando in rassegna la truppa vide fra le scarpe d'ordinanza quel paio di piedi con le unghie nere e i calli spessi come zoccoli di mulo, dovette guardare una seconda volta per assicurarsi di non essersi sbagliato. Tutt'a un tratto gli salí la rabbia di essersi visto affibbiare, lui, uno dei migliori allievi della Regia accademia militare di Milano, una banda di zotici che non imparavano a stare in riga nemmeno a bastonate, e con quelli di dover combattere una guerra in cui ancora non si era capito chi fosse il nemico.

Malgrado Rocchino parlasse la lingua gutturale delle bestie molto meglio del piemontese, non gli fu difficile intuire cosa volesse il sergente quando si mise a sbraitare guardando i suoi piedi come se fossero malfattori, ladri o spergiuri.

Ma Rocchino non aveva nessuna intenzione di infilarli nuovamente in quelle tagliole che gli avevano dato, e si era legato le scarpe al collo, lasciandosele pendere sul petto, dove dondolavano con fierezza. Il sergente torinese, vedendo che i suoi strilli non facevano effetto, si imbestialí ancora di piú, e Rocchino si trovò circondato dai soldati della Guardia Nazionale che volevano fucilarlo per insubordinazione. L'aveva capito solo a guardarli in faccia, senza bisogno di traduzione, e aveva fatto ciò che gli riusciva meglio fin da quando era nato: si era messo a correre.

Malgrado avesse dietro trenta soldati a cavallo, era riuscito a far perdere le sue tracce perché correva come una lepre e si arrampicava come un gatto, e a volte riusciva anche a sgusciare come un topo attraverso le fessure.

Aveva vagato per giorni nella campagna, dormendo in mezzo ai cespugli e sugli alberi, mangiando gli uccellini implumi che trovava nei nidi e le radici che strappava alla terra, finché mezzo morto di sonno, di freddo e di fame, una notte aveva visto i bagliori di un fuoco provenire da una radura in mezzo alla foresta di Lagopesole. Si era avvicinato incuriosito e aveva spiato fra i rami di un cespuglio.

Intorno al fuoco si agitavano delle figure nere, coi capelli lunghi e le barbe irsute, ornate di corna, di ossa umane e di ostie incastonate nell'argento. C'era anche una donna con la faccia da bambina e gli occhi curiosi. Fra loro, gli sembrò di riconoscere il legnaiolo Mastropaolo, un paesano che era scomparso l'anno prima perché aveva troppi debiti e si era detto che un creditore l'aveva spinto in un crepaccio.

Rocchino si sentí le braccia e le gambe che si attassavano. Per forza, adesso era chiaro: di fronte a lui c'erano le anime dei dannati, che ogni tanto scappano dall'inferno e si riuniscono sulla terra per portarsi dietro qualche cristiano battezzato. Li riconosceva dalle guance scavate e dagli occhi febbrili. Chi li aveva incontrati non era piú tornato, e se qualcuno era tornato aveva i capelli bianchi, come era successo alla madre di Tar'socc', che a otto anni era diventata vecchia e balbuziente.

Ma oltre alla paura che gli legava le gambe, c'era qualcos'altro che tratteneva Rocchino. Un odore di carne arrostita che andava e veniva a seconda di come tirava il vento gli stuzzicava l'olfatto inferocito. Sulla brace stava arrostendo una pecora.

Rocchino prese in un attimo la decisione: a costo di essere dannato per l'eternità, voleva affondare i denti in quella carne succulenta. Si fece avanti nello spiazzo, con gli occhi pieni di desiderio fissi sulla pecora. Qualcuno gli puntò al collo un coltello catalano. Lo afferrarono e lo portarono di peso al capo dei dannati, che puzzava di vino piú di tutti gli altri. Cominciò a fargli delle domande.

Rocchino farfugliava dalla paura, ma almeno queste anime dell'inferno parlavano la sua lingua e odoravano come la gente di casa sua.

Provò a farsi la croce e a recitare un Pater, per vedere se sparivano, chiedendosi se si sarebbero portati via anche la pecora. Quelli lo guardavano con curiosità e sembravano divertiti. Rocchino alla fine si fece coraggio e chiese come si stava, nel paese dell'eterno dolore. Tutti scoppiarono a ridere. Solo il capo dei dannati rimase serio. Stette in silenzio qualche istante, poi disse che il paese dell'eterno dolore era lí dov'erano nati, e dove i loro figli morivano di fame prima di crescere, dove si spezzavano i reni a lavorare la terra per gli estranei, e venivano offesi. Fai bene, disse, a prenderci per morti, perché oggi ci riempiamo la panza, ma domani queste quattro ossa che abbiamo se le piglia Tata Vittorio, le divide un pezzo peduno, e se ne fanno bottoni.

Tutti si guardarono sconcertati. Il capo dei dannati squadrò Rocchino, con la sua uniforme lacera, e se lo fece sedere accanto. Il signor Governo, disse, non gli interessa come fanno a campare i figli dei cafoni, ma se per caso riescono a farsi uomini, se li piglia senza dimenticarsene manc'uno e gli fa buttare il sangue... per la Patria! Un mormorio si diffuse. Io sono la serpe – disse l'uomo a Rocchino – ho il sangue avvelenato. Mia madre è morta pazza al manicomio di Aversa, mio padre l'hanno carcerato innocente. Tutto per una cagna. La cagna di don Vincenzo. Rise. Gli uomini cominciavano a scaldarsi. Li faremo a pezzi quei galantuomini, gridavano con aria cupa, per la Madonna e per Franceschiello!

Il capo dei dannati li guardò, poi si rivolse nuovamente a Rocchino. Ecco qua, gli fece. Ieri gridavano viva Vittorio Manuele, viva Garibaldi, viva l'Unità. Oggi vogliono di nuovo Franceschiello, domani vattelapesca. I Signori li aizzano, e il Governo fa passare per le armi le lucertole e si tiene in seno le serpi.

Il suo sguardo si posò su uno di loro, un uomo tarchiato con la faccia giallastra, che in quel momento stava squartando la pecora, e si perse dietro un pensiero. Poi sembrò che stesse per aggiungere qualcosa, invece non disse piú niente.

Rocchino, che finalmente aveva capito, chinò la testa in segno di rispetto. Quello con cui aveva parlato era Carmine Crocco Donatelli, generale dell'esercito borbonico, capo di tutti i briganti di Basilicata, e la donna con gli occhi curiosi la sua amante Filomena Pennacchio. Quando Rocchino raccontò la storia delle scarpe, Filomena scoppiò a ridere, e piú rideva, piú le veniva da ridere, e non riusciva a trattenersi. Ordinò di dargli da mangiare, e Rocchino la amò per tutto il resto della sua vita, che non fu lunga. Morí un anno dopo, impiccato a un noce nella rotabile fra Grottole e Ferrandina.

Per don Francesco i briganti furono la prova che le disgrazie non arrivano mai sole. Ormai assuefatto alla malasorte, quando ne ebbe notizia non perse la calma. Si incupí ancora di piú e restò in silenzio per intere giornate. Iniziò soltanto un'attività frenetica e le donne di casa temettero che sotto i colpi della sfortuna avesse perso il sentimento.

In una sola notte stipò nei barili per l'acqua tutti i ducati della dote di donna Nina, e quelli ricavati dalla vendita delle olive, e i gioielli di sua madre e tutto quello che aveva valore, compresi l'anello e gli orecchini d'oro rosso che aveva regalato a Concetta quando gli aveva fatto il maschio. Sigillò i barili come se avessero dovuto viaggiare per mare. Poi mise al lavoro gli operai che ancora giravano per casa. Senza far sapere niente alle donne, perché ormai non si fidava piú nemmeno della sua ombra, che era femmina, iniziò a nascondere i barili nella casa devastata dai lavori, dentro un muro, sotto un pavimento, nell'incavo di una colonna, ricordandosi le parole di Concetta quando si era imbarcato in quell'impresa e sentendosele cuocere nel cuore. Quando i muratori ebbero finito di murare, di interrare, di intonacare, li cacciò tutti quanti.

La casa rimase incompiuta, con lo scheletro della scalinata voluta dall'architetto che si torceva in mezzo al salone come una donna di malaffare, e le stanze superiori vuote.

Tutto venne rattoppato e rappezzato. Si misero tende per coprire passaggi che non portavano da nessuna parte. Si crearono tramezzi con gli armadi, si nascosero buchi con le pentole, e ci si rassegnò a vivere come sul campo di battaglia di una guerra che non era mai stata combattuta.

In mezzo alla delusione e al disordine, frutto del caso e della distrazione, sbocciò l'amore fra don Francesco e Concetta. Ora che non c'erano piú interessi in ballo né costrizioni in atto, finalmente vecchia e libera, Concetta si accorse con sollievo di non avere piú nulla da perdere, e si concesse come fino allora non aveva mai fatto. Don Francesco l'accolse con stupore.

Mentre tutti si aggiravano spersi, lui e la donna che non era mai diventata sua moglie si appartavano anche di giorno nella camera da letto che era stata risparmiata dall'architetto napoletano, e lí si abbandonavano a un presentimento di morte che ormai era dolce, mescolando i loro corpi sfasciati, consolandosi, scoprendo insieme quello che erano diventati, con piú passione di quanta ce ne avessero messa da giovani, quando i loro corpi tutti nuovi somigliavano a quelli di tanti altri. Cosí inaspettatamente venne concepita Angelica, sicuramente la piú bella delle figlie di Concetta e don Francesco, come dall'uva avvizzita esce il vino piú dolce.

Era il 1864. Da tre anni i briganti tenevano testa all'esercito piemontese ed erano diventati la speranza e il sogno dei pezzenti.

Fra il 1861 e il 1863 il neonato stato italiano impiegò circa 120 000 soldati, cioè quasi la metà dell'esercito nazionale appena costituito, in un massacro che nel resto d'Europa venne definito pari a quello degli indiani d'America: la lotta contro il brigantaggio nelle province meridionali. Il numero dei morti fu superiore a quello dei caduti in tutte le guerre del Risorgimento messe insieme, ma nei libri di storia non ne restò quasi traccia.

La marcia dei garibaldini dalla Sicilia verso il Nord e la calata dell'esercito piemontese erano avvenuti in un momento di grandi agitazioni sociali per la ripartizione delle terre demaniali.

Dal suo esilio di Gaeta il re deposto, Franceschiello, prometteva partita vinta ai contadini contro i proprietari terrieri, e il popolo sospirava, come un anticipo di quello dei Cieli, il suo ritorno nel Regno. Tutti i don, invece, si schierarono dalla parte del nuovo re, Vittorio Emanuele di Savoia, diventando "liberali" per interesse.

In quegli anni il nuovo governo istituí il servizio di leva obbligatorio e tartassò i contadini con imposte che li riducevano alla fame. Nacque cosí contro il nuovo stato un potente movimento di rivolta. Un esercito di pezzenti, capeggiato dai briganti, tenne testa all'esercito piemontese fino al 1864, quando il generale Crocco, abbandonato da tutti quelli che l'avevano sostenuto, venne catturato per il tradimento del suo luogotenente, il capobrigante Caruso, e passò in galera il resto dei suoi giorni.

Anche fra i galantuomini alcuni si schierarono dalla parte dei borbonici, e sostenevano i briganti. Vennero chiamati "manutengoli", e se scoperti venivano fucilati immediatamente.

Don Francesco Falcone non si era schierato né da una parte né dall'altra. A lui importava tenersi le sue terre, per il resto non ci voleva pensare. Ma quando i briganti terminarono le provviste, gli chiesero di fargli avere da mangiare. Questo suonò come una condanna a morte. Se soddisfaceva la richiesta rischiava di passare agli occhi dei piemontesi per un manutengolo, se invece non la soddisfaceva, i briganti si sarebbero vendicati.

Fu l'unica volta in vita sua che Concetta non accettò la sorte, perché le sembrava di aver già pagato abbastanza, cosí le venne l'idea. Fecero tutto a doppio, pane, salsiccia, caciotte, manteche e tutto il resto, e quando arrivò l'ufficiale piemontese per mettere il veleno eseguirono gli ordini, con l'intento di cambiare tutto all'ultimo momento.

Era tutto pronto, e Concetta si era affrettata a compiere la sostituzione, ma qualcosa non andò come doveva. Cosa, non si seppe mai esattamente, se non che molti signori erano invidiosi del rispetto di cui godeva don Francesco, da parte di tutti, grazie alla sua lealtà.

Chetanella fece il viaggio nella campagna con i cesti pieni del pane di grano duro, e le salsicce avvolte intorno al corpo come serpenti, le manteche come menne di vacca, rallegrandosi dell'espediente. Il cuore comunque le batteva forte quando fecero assaggiare a Saetta, il cane di Ninco Nanco, le salsicce e le scamorze, le manteche e il pane fatto in casa.

Il terribile Ninco Nanco quando scendeva da cavallo era solo un contadino timido, che tartagliando e arrossendo le disse di aspettare con loro. Arrivò anche l'altro capo, e Chetanella restò senza fiato. Mai, per il resto della vita, avrebbe dimenticato la bellezza del suo viso. Era il figlio della Madonna, il sanguinario Giovannino Coppa, bastardo di madre nobile e padre barone, allevato da pezzenti, avviato da quelli della sua classe, poco tempo dopo, alla sua ultima baronia.

A un certo punto Saetta iniziò a correre, poi si fermò con gli occhi fuori dalle orbite e la bava che gli usciva dalla bocca, la lingua penzoloni, gonfia e verde, guardando il padrone per chiedergli pietà. Ninco Nanco l'aveva finito con un colpo di doppietta, poi era salito sul cavallo, seguito da Giovannino Coppa e dai loro uomini.

Don Francesco era solo con Concetta, a rallegrarsi dello scampato pericolo. Tranquillo grazie all'espediente adottato, aveva detto ai gendarmi piemontesi che non c'era bisogno della loro protezione e quelli se n'erano andati.

Prima che lo portassero via, don Francesco cercò di dire qualcosa a Concetta. Non che l'aveva sempre amata, ma dove aveva nascosto i barili con i soldi. Non ci riuscí. I briganti gli lasciarono appena il tempo di salutarla, poi lo legarono per i piedi al suo stesso cavallo.

Don Francesco, che per tutta la vita era stato accompagnato dal pensiero della morte, alla fine, quando se la vide davanti, la trovò familiare e le andò incontro con coraggio.

I briganti lo trascinarono per tutto il paese. Sentí le grida dei bambini che vedevano passare il suo corpo insanguinato. Sentí le ossa frantumarsi sopra le pietre, e i rovi lacerargli la pelle. Scesero giú verso le terre. Su ognuno dei campi che aveva posseduto e coltivato lasciò una parte di sé, un brandello di pelle, un po' di carne, un pensiero. Man mano che procedeva la corsa sentiva calmarsi la furia che lo aveva posseduto per tutta la vita. I ricordi gli mulinavano in testa, si mescolavano a immagini e pensieri mai avuti prima, sorprendendolo, poi tutto scorreva via come le foglie secche nel Basento.

Ci mise parecchio a morire. Oltrepassarono il Cugno del Ricco. Vide la quercia dove i braccianti venuti dalle Puglie mangiavano la fedd' e poi cantavano le loro canzoni nel pomeriggio infuocato, vide il casotto di Santa Lucia dove aveva fatto l'amore per la prima volta con Concetta, vide l'albero delle sorbe che raccoglieva per portarle a Costanza quando era bambina, e l'Ai Mar dove il grano era ancora tenero, e Serra Purtusa con l'argilla spaccata, e greti di fiumi, e cespugli che scoloravano nel tramonto, fin quando tutto si confuse e non vide piú niente.

*Storie e mamorie*
*e lu culu de zí Vittoria*
*e lu culu de zí Marí*
*e buonasera a signrí.*

# Capitolo quarto

Ricchione, maccarun, rotto in culo, cornuto, figlio di zoccola, cioto frecato, fess minghiaril, sentiamo a papà, fammi sentire come dici.

Ricchione, rotto in culo, cornuto, figlio di introcchia.

Brava a papà. Mezzalingua, nerchia secca, pesce lesso, baccalà. Fammi sentire.

Mezzalingua, nerchia secca.

Figlio di puttana... la criatura! – Albina strappò Candida dalle braccia del padre, che se la teneva compiaciuto sulle ginocchia, a giocherellare con le colle e le lesine. – Ce l' fa' disc'?

Sono tornati – rispose Vincenzo, e non ebbe bisogno di specificare chi fossero.

Avevano buttato il bando nella piazza. "Sentite sentite, è arrivato Minguccio u Merciale, tiene tutta qualità speciale. Chi vuole robba, robba bella, robba buona, venite donne, qui non si vende si regala – fess minghiaril – robba da zita robba da morto, robba per le lenzuola del corredo, robba fina di castoro, felb, fustagno, scozzese, nzarchign, tela marghera a trama doppia, flanella e falsa flanella, velluto per femmina e per masculo, raso e casimirr, zeffirr per le camice buone e tibs per il lutto". Le femmine abbabbiavano.

Di fronte alla chiesa madre, Minguccio il Merciale, detto anche il Pugliese, srotolava le tele che portava sul traino e gliele faceva scorrere sotto gli occhi. Loro le accarezzavano furtive, il percalle gentile per le lenzuola, la scozzese che si vendeva a terremoto per le camicie e le tovaglie, la flanella e la falsa flanella per i calzonetti, il mul't-tone piú pesante per le sottane, il velluto liscio da femmina e quello a coste da maschio, il castoro marrò o lilla, scuro e pesante, per la vesta di matrimonio anche d'estate, la nzarchign, bianca e doppia per le tovaglie e le fodere dei materassi, il raso nero per i sinali eleganti, u casimirr, la lana leggera per i fazzoletti da portare in testa, la gabardine per gli abiti da uomo leggeri e la vigogna per il vestito dello sposo, cosí buona che la tenevano stipata che poi si strusceva e quando l'andavano a prendere la trovavano tutta purtusata.

Che bisogno c'è di tutta quella roba che fa solo struscere soldi, diceva Vincenzo – va fa' fott' a id e ch'è venut. Lui aveva sempre tenuto soltanto la tela casarola, cosí doppia che stava in piedi da sola, buona per le tovaglie e le lenzuola di chi si accontentava, tessuta al telaio dalle femmine del paese, che gliela davano in cambio delle pezze di vitello per le scarpe, del petrolio per le lampade, della fune, del sapone a pezzi. Era sempre andata cosí da quando poteva ricordare, finché Minguccio u Merciale non era arrivato dalle Puglie senza che nessuno lo mandasse a chiamare, a rovinargli la piazza viziando le femmine che si facevano abbabbiare dalla sua parlantina e da quei tessuti lisci come culi di bambini, fruscianti come tentazioni, che facevano verminare in testa chissà quali pensieri.

La prima a tradirlo, neanche a dire, era stata sua moglie Albina, che quando c'era da andargli contro non si tirava mai indietro, cosí si era comprata uno sparien tutto ornato di trine e se l'era sistemato in testa come una bandiera di guerra. Quando Minguccio u Mercial coi soldi che gli aveva sbafato si era preso in fitto una stanza per depositarci la roba e andarci a dormire con la moglie, Albina era stata la prima a fargli visita con tutte le cerimonie d'uso.

Dal giorno stesso del matrimonio era iniziata fra Albina e Vincenzo una guerra muta e sorda, fatta di colpi bassi, vendette e ripicche, perché Albina non poteva darsi pace di avere affianco uno scarparo quando avrebbe dovuto avere un barone, e gli stava come una spina nel fianco provocandolo in tutti i modi. Si era votata a un'ostinata devozione nei confronti della vita che le sarebbe spettata, sputando sul poco di felicità che aveva a portata di mano e coltivando l'alterigia di una nobiltà senza fondamento.

Non aveva mai dato a suo marito la soddisfazione di mangiare con lui. Quando Vincenzo tornava dal negozio diceva ogni volta che non aveva appetito, e lo lasciava a mangiare da solo, togliendogli il piatto davanti non appena poggiava la forchetta. Vincenzo tremava dalla rabbia, poi le vomitava addosso tutte le male parole che conosceva, e non erano poche, ma l'unica risposta di Albina era un impercettibile sollevamento del sopracciglio, perché ormai aveva il cuore marinato nell'aceto. Vincenzo si infuriava e sbraitava, ma non osava metterle le mani addosso come chiunque altro avrebbe fatto per molto meno.

Troppa gente per casa, tutti dalla parte di lei. La madre Concetta, piccola e silenziosa, che scivolava senza far rumore e spuntava all'improvviso. Ti guardava con quegli occhi da ragazza nel viso incartapecorito, senza dire niente. E la sorella Angelica, quella bellezza con le carni bianche e color di rosa, gli occhi grandi, i capelli scuri, ricci e soffici coi riflessi ramati, che maturava ogni giorno come quelle mele bianche rosse e giallo paglierino, perfettamente rotonde, piú grandi delle altre, con la pelle liscia liscia, che spargono un profumo delicato piú intenso di giorno in giorno, squisite, buone, buonissime, tanto buone che all'inizio non si osa mangiarle e poi non le vuole piú nessuno. C'era anche il fratello Oreste, che stava dentro casa servito e riverito come un pascià, pigro e cattivo, a curarsi i baffi sottili e arricciati, esplodendo ogni tanto in una botta d'ira ingiustificata. E la sorella Giuseppina, che nessuno mai sapeva dove stava, e aveva la pelle giallina e due piccoli mustacchi pungenti.

Vincenzo si sentiva come un gatto in un branco di cani, e stava sempre in campana. Bell'affare aveva fatto, – e lu rutt porta lu san – a prendersi la figlia di don Francesco Falcone, che adesso gli toccava campare lei, la madre, le sorelle e il fratello, perché quando don Francesco era morto nessuno sapeva che fine avessero fatto i barili coi soldi, e lo stato vigliacco si era preso una parte delle terre con la scusa che era un manutengolo. Cornuti e mazziati. Avevano dovuto vendere la casa e nelle sue stanze a metà decorate dagli stucchi napoletani adesso c'era un circolo dove si giocava a carte. Lí Vincenzo trascorreva domeniche, notti e ore che avrebbe dovuto passare in bottega, e lí andava a cercarlo Albina quando non poteva farne a meno.

Ogni volta che attraversava le stanze affumicate e puzzolenti le si rivoltavano le intrame vedendo l'intonaco che cadeva a pezzi, le ragnatele, l'arcuofolo intasato di sedie sane e rotte, e i fiori del pavimento di graniglia che suo padre, don Francesco, aveva fatto mettere quando ancora credeva nel futuro, emergere nella segatura intrisa di sporcizia e di vino.

Quando arrivava nell'ultima stanza, quella che dominava la valle, dove loro non entravano se non quando c'era un ospite di riguardo, si fermava sempre, come se le mancasse il respiro. In mezzo, come un presagio di sventura, si torceva l'inutile scalinata fatta costruire dall'architetto napoletano. Vincenzo stava sempre seduto lí dietro, a giocare a briscola e a bestemmiare. Lei lo guardava e lo odiava come se fosse tutta colpa sua.

Eppure era lui che si arrabattava per portare il pane a casa. Mille volte aveva pensato di mandare tutto a puttane e andarsene a cercar fortuna nelle Americhe, una terra bella e scostumata che gli avevano detto si concedeva a chiunque la volesse prendere. Se restava lí c'era un'unica, insospettabile ragione, la stessa per la quale certe volte voleva partire: sua moglie.

A differenza della sorella, che era una mela troppo fraula, Albina era una di quelle melette piccole e acidule che fanno venire la pelle d'oca ma dànno voglia di mangiarne un'altra e un'altra ancora, fino a farsi venire il mal di pancia. Gli faceva i dispetti, lo guardava storto, ma quando gli passava vicino a lui mancava il fiato.

I figli nati dal loro matrimonio erano morti tutti, o quando erano ancora lattanti, o piú grandicelli di tifo o di malaria, uno di consunzione, un altro per il verderame perché aveva mangiato la carne nella pentola il giorno di sant'Antuono, un ragazzo bello e gentile che si chiamava Francesco.

Ogni estate in paese i bambini morivano come mosche, di diarrea. È passata la traggh', dicevano le donne, la Trebbiatrice.

Ma Albina non aveva dubbi, il problema loro era un altro. Tante benedizioni volesse avere, mormorava zitta zitta, lei e quel figlio di buona donna che per andarle appresso aveva messo le corna al Padreterno.

Si era salvata solo la figlia piú piccola, Candida, che era delicata e malaticcia da quando era nata, ma era rimasta sulla terra ad ammalarsi un giorno sí e un giorno no mentre tutti gli altri se n'erano andati al Creatore. Albina la guardava con commiserazione, e ogni volta che la vedeva beata fra le lesine e le colle di suo padre scuoteva la testa come se fosse scema o afflitta da qualche male incurabile.

Appena la moglie e la figlia si furono allontanate, Vincenzo cercò sollievo nel modo che gli era consueto. Si affacciò alla finestra e lanciò un lungo fischio sottile. Rosina mest Pret non si fece aspettare. Era un pezzo di femmina bianca e rossa, vestita pacchiana, con una morra di figli che somigliavano a tutti i maschi validi del paese. Senza di lei Vincenzo non ce l'avrebbe mai fatta a sopportare quello che gli faceva patire la moglie. Si perdeva e si riappacificava nell'ampiezza del suo corpo, mentre il corpo spigoloso di Albina gli metteva addosso la febbre.

Albina e la figlia avevano già passato la piazza ed erano quasi a casa, quando Candida si accorse di aver dimenticato la pupa di pezza alla bottega, e tanto fece che la madre la lasciò andare a riprendersela.

La porta era chiusa, caso mai sarebbe stato strano il contrario, ma Candida sapeva come entrare. L'aveva imparato giorni prima, giocando col garzone di mest Vardin il falegname, che le mostrava tutto fiero ogni sorta di strumento, lasciandole maneggiare di nascosto il chianuozzuolo o la gubbia e divertendosi sicuramente piú di lei. Si fece prestare un'altra volta quell'arnese prodigioso che pungeva e disegnava cerchi perfetti e armeggiò brevemente nel buco della serratura. Quando la porta si aprí, nella penombra dell'interno vide un biancheggiare di carni in movimento, uno sbattere di vestiti che tentavano di ricomporsi, un ondeggiare di capelli, e il sedere di suo padre. Candida si allontanò senza dire una parola. Quella sera le grida si sentirono da in mezzo alla Via Nuova, e Albina che altro non cercava ebbe finalmente ogni notte la scusa per negarsi a suo marito.

Fu l'età del dispiacere. Anche Vincenzo ci si accampò di diritto, acquisendo cittadinanza nel sottano dove il tempo scorreva lento e velenoso, ognuno a coltivare la sua amarezza, il suo rammarico, il suo rancore, asserragliati nel fallimento come nobili decaduti dentro il castello avito, favoleggiando di quello che avrebbe potuto essere e dei barili pieni di soldi sepolti chissà dove, che a furia di parlarne non si sapeva piú se fossero esistiti davvero e comparivano solo, ogni tanto, nei sogni. Ancora, piú di mezzo secolo dopo, Gioia giocava coi cugini a cercarli negli angoli nascosti della casa, in certe giornate di pioggia o di vento.

Come una condanna, materializzazione dell'ingiustizia, a ogni angolo di strada Albina vedeva passare i numerosi figli di sua sorella Costanza. Li riconosceva dal viso contento e dai marenghi d'oro che portavano appuntati sul petto, e quel luccichio le feriva gli occhi e il cuore.

Angelica si macerava nella sua esuberante femminilità di rosa spampanata. Oreste rimpiangeva l'impero per il quale era nato e che gli era stato sottratto, lui che avrebbe dovuto essere la strada maestra verso l'avvenire e invece si era rivelato un binario secondario, un tronco morto. Della vita intima di Giuseppina nessuno sapeva nulla. Solo Candida cresceva dolce e birichina, e sembrava che il male non potesse toccarla: né le liti dei genitori, né le malattie, né quella volta che lo zio Oreste le infilò le mani sotto la gonna per vedere com'era fatta e poi le diede un soldo per non parlarne a nessuno. Come il veleno produce il suo antidoto, sembrava nata col dono di cambiare in bene ogni male.

Per lei niente era stato facile, sempre in fin di vita e sempre di nuovo in piedi come un gatto. Ogni volta che qualcosa le piaceva, il destino sembrava accanirsi a portargliela via.

Il suo primo compagno di giochi era stato un bambino con un marengo d'oro sul petto, col quale si divertí un'intera giornata a scavare buche negli orti alla ricerca del tesoro di cui sentiva parlare da quando era nata.

Verso sera, in pegno di amicizia, il bambino regalò a Candida un uccellino primavera. Aveva le ali nere, il petto giallo e una testolina rotonda e piumosa.

Albina la trovò che gli lisciavano le piume. Le strappò di mano l'uccello primavera, lo osservò per un attimo, poi lo scagliò via. Candida lo guardò allontanarsi nel cielo fino a diventare un puntino sempre piú piccolo.

Si produsse in quel momento in lei un mutamento senza il quale non sarebbe sopravvissuta, una cosa del tutto nuova che nella sua famiglia non c'era mai stata e che lei trasmise alla discendenza come un regalo o una condanna, a seconda dei punti di vista: la capacità di cambiare idea.

Mentre l'uccellino primavera stava scomparendo mormorò dolcemente, fra i denti, và a fa' fott', e invece di scoppiare a piangere scoppiò a ridere.

Fu quello che fece sempre, da allora. Aveva una risata che cominciava in sordina, a piccoli singhiozzi, con un chichi sordo come le prime gocce lente di un temporale estivo.

In quarta fu ritirata dalla scuola, perché le poche bambine rimaste erano state annesse alla classe maschile, dove c'erano ben due di quei ragazzi col marengo d'oro sul petto.

Un'altra, al suo posto, ne avrebbe fatto una malattia, perché non c'era niente che le piacesse quanto comporre le lettere col pennino, tutte ordinate sul foglio bianco: ameno, recondito, a-na-co-re-ta, parole che non si impiegavano mai nella vita quotidiana, come gioielli da sfoggiare nelle grandi occasioni. Con quelle e altre parole le piaceva creare cose che sembravano vere tutt'a un tratto per il solo fatto di essere state nominate. Eppure anche questa volta Candida accolse l'ingiustizia con grazia e riempí il suo tempo in un altro modo.

Poiché fratelli piccoli da crescere non ne aveva, e a fare i servizi in casa c'era sua zia Angelica, godeva di una libertà maggiore di quella delle bambine della sua età e poté dedicarsi a quelle che per tutta la vita furono le sue grandi passioni: i romanzi rosa e le conversazioni con Cristo, arrivando infine a mescolarle.

La passione dei romanzi rosa gliel'aveva trasmessa sua zia Angelica, che ne era a sua volta furiosa lettrice, e proprio per questo non riusciva a trovar marito. Nei suoi anni crepuscolari, infatti, la figlia piú bella di don Francesco Falcone, farcita com'era di smancerie, aspettava imperturbabile il momento in cui dal cielo sarebbe calato un pilota, o dal mare lontano sarebbe arrivato un nostromo, e cosí disdegnava gli onesti ma reali bifolchi che le si proponevano con sempre minor frequenza.

Candida aveva iniziato appena a sillabare che già leggeva di amori eterni vissuti da fanciulle religiosissime immancabilmente comparate a rose, a gigli o a viole.

Nella sua mente ingenua l'amore sacro e l'amor profano si fondevano in un pasticcio sublime, e il risultato fu che a un certo punto si prese una bella cotta per Gesú. Non il concetto astratto e divino che Gesú rappresentava, ma il suo costato, i suoi fianchi e le sue gambe, la statua concreta contenuta nella chiesa madre. Gesú deposto dalla croce, la Pietà.

Gli era dedicata un'intera cappella un po' oscura, nella quale il candore del marmo brillava peccaminosamente oltre la balaustra di legno. Era un uomo bellissimo, con le membra allungate e i muscoli ben disegnati sotto la pelle. Uomini cosí, in paese, non se n'erano mai visti. Una grande sensualità si sprigionava dalle ferite inferte alla sua carne marmorea, e Candida prese l'abitudine di passare ogni giorno diverse ore a contemplarlo, sentendo via via che restava lí davanti un calore misterioso che forse era santità percorrerle il corpo fragile e scaricarsi in mezzo alle gambe. La domenica, prendendo la comunione, si rigirava l'ostia in bocca, facendo attenzione a non toccarla coi denti, perché era il corpo del suo amato e non voleva ferirlo. Poi la mandava giú, sentendolo finalmente sciogliersi dentro di sé.

L'infatuazione diventò talmente forte che trascorreva in chiesa ogni minuto libero, e per andarci si vestiva con gli abiti migliori. Sul momento non capí perché un giorno sua madre venne a cercarla nell'oscurità della cappella dove passava ore sublimi, e la trascinò via di forza, chiamandola con nomi irripetibili e vietandole di mettere piede lí dentro un'altra volta, se non in sua compagnia, la domenica e le feste comandate. Candida non si ribellò nemmeno quella volta, ma promise al Cristo che un giorno sarebbe stata sua sposa e in un certo senso ci riuscí, anche se non si fece suora come inizialmente avrebbe voluto.

Aveva dodici anni quando vide per la prima volta quello che sarebbe diventato suo marito.

Non si può dire che fosse bella. Da piccola aveva sofferto di una leggera forma di rachitismo che aveva fatto di lei un esserino inconsistente come una bambola, di quelle che si mettono a sedere sui letti a gambe aperte. Piccola di statura, le spalle e il torace stretti, la testa un po' piú grande del normale, gli occhi dolci animati da uno sguardo birichino e le labbra morbide, solleticava negli uomini una gamma di istinti che andavano dalla brutalità alla tenerezza, passando a volte dall'amore incondizionato. Ci furono sempre e dappertutto uomini che impazzivano per lei, da piccola, da grande e persino da vecchia, quando continuava a ricevere proposte di matrimonio dagli ospizi dei paesi limitrofi, e le rifiutava con sdegno civettuolo.

Le prime avvisaglie del suo incomprensibile fascino si erano avute con i pretendenti di Angelica, che con quel pezzo di femmina che avevano di fronte non potevano fare a meno di buttare un occhio sulla bambina che serviva il rosolio, e dopo averci scambiato due parole se ne innamoravano vergognosamente.

Trovare marito ad Angelica era diventata la grande impresa di Oreste, che esibiva la sorella come un orso in una fiera e per nulla al mondo avrebbe rinunciato a maritarla. Quando Angelica era giovane, gli uomini venivano a chiedere la sua mano da tutta la provincia, ma per Oreste non ce n'era uno degno di lei. Chi era troppo alto, chi troppo basso, chi aveva un cugino pazzo. Un agiato proprietario terriero venne scartato perché prima di congedarsi si soffiò il naso con un fazzoletto rosso producendo un allegro rumore di trombetta. Sembrava che Oreste se lo dovesse sposare lui, l'uomo che cercava per la sorella.

All'inizio Angelica si era spazientita, ma col tempo i suoi bollori erano sbolliti e aveva lasciato correre, rimettendosi al volere del fratello e cercando consolazione nella lettura dei romanzi rosa. Il resto della famiglia era troppo distratto dalle sue disgrazie per occuparsene, ma quando le tempeste furono passate, tutti si resero conto improvvisamente che la bella di famiglia era rimasta zitella e tentarono di rimediare come potevano.

Le sensali si davano da fare da Grassano a Miglionico a Salandra, a caccia di buoni partiti e un po' alla volta anche di partiti andanti. Piú il tempo passava, piú bisognava spingersi lontano, in cerca di forestieri che ne ignorassero l'età effettiva, forti del fatto che Angelica, probabilmente per un difetto di vitalità, nascondeva i suoi anni alla perfezione, con l'unico inconveniente di perdere sapore, corpo e realtà. Somigliava sempre di piú a quei frutti di cera prodigiosamente realistici e inodori che Albina teneva sulla cassapanca, unico ricordo della casa paterna.

Quando finalmente qualcuno sembrava deciso a farsi avanti, Angelica lo rifiutava con stizza, e se i familiari tentavano di costringerla a dire di sí, non le era difficile trovare il modo per scoraggiare quei pretendenti già poco convinti. Non voleva precludersi la possibilità del suo aviatore. Ci vollero tutta la testardaggine e l'amore di Candida per riuscire a cambiare il corso delle cose.

# Capitolo quinto

A metà ottobre a Grottole c'era la fiera, che durava una settimana. Era l'ultima prima di quella di Potenza, che chiudeva la stagione, ed era talmente grande che ci venivano da tutto il circondario. Iniziava con un'animazione sorda e festosa nella piazza, dove gli stagnari dalla Puglia e da Matera portavano le pentole di rame, le callare per la lessiva, e altra minutaglia da casa. Intanto piú giú, sulla strada della fiera, affluivano gli animali. In quei giorni festeggiavano i loro fidanzamenti gli zingari.

Fu durante la fiera che Candida vide Colino per la prima volta.

Era una giornata che avrebbe voluto dimenticare. La fiera era iniziata il giorno prima. Quella mattina, mentre il padre si trovava fra i banchi a vendere le sue minutaglie e la madre se n'era andata da una zingara con cui era in amicizia, Candida era uscita di buon'ora. Aveva zizzagato fra i banchi di scarpe e quelli di biancheria. Senza fermarsi davanti ai mucchi di nocelle e alle congole di ulive alla calce, e nemmeno davanti alle pupe di granone arrostito che le piacevano tanto, era andata diretta da Gennarino il Capellaro.

Sul suo banco, in mezzo all'ordinaria mercanzia – nastri, forcine e saponette – c'era una bambola spagnola con la faccia di cera dipinta e il corpo di segatura coperto da un vestito a volants di raso rosso. Dal giorno prima, quando era comparsa, era il sogno proibito di tutte le bambine del paese. Per averla, bisognava avere la pazienza di raccogliere uno a uno i capelli che restavano impigliati nel pettinino stretto contro i pidocchi, che arava il cuoio capelluto fino a farlo sanguinare. Una pazienza che poteva durare tutta la vita. Ma Candida aveva deciso di accorciare i tempi.

Quella mattina aveva preso le forbici che servivano per sventrare i polli e con un colpo secco si era tagliata la treccia che le arrivava al sedere, come dalla parte opposta della terra altre avrebbero fatto di lí a poco, anche se per motivi un po' diversi.

Quando Gennarino si ritrovò la treccia in mano, avvolta in un pezzo di giornale, scosse la testa come se avesse già visto quella scena tante volte. I capelli tagliati non gli servivano! Dovevano essere caduti naturalmente, con l'attaccatura ancora intatta. In cambio della treccia, poiché si era accorto che ci era rimasta male, poteva darle al massimo un sona sona. Ne aveva uno lí, in mezzo alle cianfrusaglie. Lo scosse per farle sentire come faceva. Lo strumento gracchiò. Candida non rispose. Se ne andò senza nemmeno riprendersi la treccia e cominciò a vagare fra i banchi, con gli occhi che si riempivano di lacrime.

Colino si trovava dietro al banco insieme a suo padre, e quando Candida gli posò gli occhi addosso stava srotolando una pezza di taffettà color prugna matura, cosí frusciante che lei nel ricordo ancora la sentiva cantare.

Aveva gli occhi levantini, neri e languidi come quelli degli uomini che vengono dalla marina, cosí carezzevoli che nemmeno la pezza piú cara del bancone, quella di velluto misto seta, poteva reggere la concorrenza. Aveva le labbra ben disegnate e i denti bianchi, tutti dritti e sani. Le mani con le dita lunghe e insomma era tale e quale al Cristo deposto che Candida aveva tanto amato, o almeno a lei cosí sembrò, come se da marmo che era si fosse fatto all'improvviso di carne. A quell'epoca Colino aveva diciott'anni.

Mancava dal paese da una decina d'anni, trascorsi con

lo zio Cataldo, commerciante di imbottite a Bari. Adesso era venuto per aiutare suo padre in quei giorni di fiera, e gli affari non erano mai andati cosí bene. A causa sua le donne si affollavano intorno al bancone fingendo di interessarsi alle stoffe che Minguccio il Merciale decantava rintronandole di chiacchiere. I lampi provocanti di molti occhi lo bersagliavano in continuazione ma nessuno l'aveva mai colpito. Con grande soddisfazione di sua madre, gelosa e fiera del miracolo che aveva fatto, Nicola si era conservato vergine. Malgrado tutte le occasioni che aveva avuto non si era mescolato a nessuna vedova o donna di malaffare, né aveva incrinato la virtú di qualche giovinetta. Un'innocenza malandrina lo proteggeva da qualunque tentazione. Una dolcezza che sconfinava nell'inganno gli si irradiava intorno. Si era ormai abituato a tutte quelle donne che gli andavano appresso come un bue alle mosche, e se non poteva scacciarle con un placido colpo di coda usava i suoi sguardi limpidi per annegare i loro ardori.

Colino stava misurando la stoffa col palmo della mano quando alzò gli occhi e nella traiettoria del suo sguardo trovò Candida.

All'inizio attirò la sua attenzione solo perché aveva i capelli tagliati in quel modo. Poi, quando anche lei lo guardò, successe una cosa strana. Fu come se si fosse aperta una porta. Colino attraversò pieno di meraviglia corridoi e stanze, alcune luminose, altre piú scure e segrete, angoli nascosti e freddi, ripostigli, terrazze assolate...

Guagliò! Una pacca sulle spalle lo fece sobbalzare. Suo padre, Minguccio u Mercial, ne aveva seguito lo sguardo per scoprire cosa lo distraesse, ma non aveva visto nulla. Solo una bambina con le spalle rachitiche e il torace piatto, i capelli tagliati all'altezza del mento e gli occhi pieni di lacrime, che un sorriso illuminò proprio in quel momento.

Gli ripeté di incartare il velluto alla tricarichese. Colino distolse lo sguardo dal viso di Candida per eseguire l'ordine. Quando lo diresse nuovamente in quella direzione, Candida non c'era piú.

Per tutti i giorni che durò la fiera sperò di vederla passare vicino alla bancarella, e appena poteva lasciava il banco di suo padre per andarla a cercare in mezzo ai venditori di imbottite, nei capannelli di quelli che litigavano, dove c'erano gli imbonitori che vendevano la radica saponaria e la radice di liquirizia, o gli zingari che leggevano le carte. La cercò dappertutto e chiese a tutti di lei senza essere capace di descriverla, finché non arrivò al banco di Gennarino il capellaro.

Candida stava a casa a pulire lampascioni. Quel giorno, mentre lei e Colino si guardavano, era passato di lí suo padre, che l'aveva sorpresa a bocca aperta davanti alle pezze di Minguccio il Pugliese. Senza dire una parola l'aveva afferrata per un braccio e se l'era portata a casa. Le aveva dato un manrovescio e una montagna di lampascioni da pulire. Candida non si era ribellata. Cosí poteva pensare a Colino in santa pace. A ogni lampascione vedeva e rivedeva ogni dettaglio del suo viso, gli zigomi, gli occhi, l'arco delle sopracciglia, la curva delle labbra, e ogni proporzione assumeva per lei migliaia di significati palesi o nascosti, ma non avrebbe saputo dirne neanche uno.

Persa in quei pensieri il tempo scivolò via pieno di promesse, finché si scontrò con la realtà. Suo padre era appena uscito con la congola risonante di lampascioni quando lei si accorse che era l'ultimo giorno della fiera e lui non si era visto. Allora senza farsi scrupoli tradí suo padre e uscí a cercarlo.

In largo San Rocco c'era una confusione un po' mesta. Nella giornata che si accorciava molti erano già andati via, altri iniziavano a sgomberare. I saluti e gli urli gutturali per incitare i muli risuonavano nell'aria. Ihhhhhhhhhh. Pezzetti di paglia e polvere volteggiavano facendola starnutire. Col cuore che batteva, Candida si fece largo fra la gente che caricava la roba sui carri fino al punto dove si trovava la bancarella di Minguccio il Merciale. Per terra restavano soltanto le bucce delle nocelle e delle semenze, le cacate dei muli, la paglia.

Si era alzato il vento. Un vento freddino e tagliente, esagerato per la stagione, che trascinava a tratti un pezzo di carta, lo faceva vorticare per un attimo, poi lo lasciava ricadere. Qualcuno le disse che se ne erano andati già dalla mattina. Chiese di ripetere, perché non riusciva a crederci. Tutto diventò all'improvviso freddo e morto. Pensò che la vita, per il tempo che restava, sarebbe stata soltanto un inutile fardello.

Nel pieno di quell'inverno una figura le venne incontro dall'ombra. Le sembrò emergere da un'altra epoca, piú felice o piú triste non sapeva dirlo, lontana comunque, quella in cui era ancora una bambina che giocava alle bambole. Riconobbe Gennarino il Capellaro che si sbracciava per chiamarla. Quando gli si avvicinò le porse la pupa spagnola. Lei l'accolse goffamente fra le braccia. È tua, le disse lui per rassicurarla. Lei lo guardava incredula. Tanti saluti dal figlio di Minguccio u Mercial, disse Gennarino con un mezzo sorriso e le fece l'occhietto prima di allontanarsi perché doveva finire di caricare e si stava facendo buio. A Candida sembrò che il sole stesse nascendo in quel momento e tutto intorno riprese immediatamente a vivere.

Pochi giorni dopo Colino disse a sua madre che aveva trovato la donna da sposare. Gliela indicò mentre camminava per strada con un paniere di uova che per poco non diventarono una frittata.

Quella? Ma porta ancora la pettola in culo, rise Diodata. Quel figlio cosí bello l'avrebbe ceduto malvolentieri a un'altra, e ora si accorgeva che di femmine non capiva proprio niente. Gliel'avrebbe cercata lei una moglie come dio comanda, ma Colino, contrariamente al solito, fu irremovibile. Voleva quella.

Quando Vincenzo vide Minguccio u Merciale varcare

la soglia della bottega, la prima cosa che pensò è che fosse venuto a fargli una proposta per il negozio, e decise in pochi istanti che non gliel'avrebbe venduto neanche a peso d'oro. Invece scoprí che voleva la figlia. Nientedimeno. Figghma figghma, figghma Candida, Licandrella… Vincenzo ripeteva per capacitarsi. Che faccia di cazzo!

Visto che c'era, approfittò dell'occasione per farsi un po' gli affari suoi, e togliersi qualche curiosità che l'aveva afflitto in tutti quegli anni. Si fece dire quante pezze di stoffa tenevano in magazzino nelle Puglie, e quanta liquidità, e quanti carri, e se possedevano qualche casa, asini, muli e galline, come se stesse valutando il partito. Minguccio il Merciale non voleva rispondere, ma qualcosa dovette dire e ricorse alla sua storica parlantina per rincitrullirlo. Vincenzo incalzava.

Fu Colino a rispondere, per essere sicuro, perché non voleva che si indispettisse, mentre il padre lo guardava storto. Vincenzo ripeté per filo e per segno come se stesse riflettendo. Un asino, un mulo, due traini, un cane, una casa a Monopoli e un lamione a Grottole, quattrocento pezze depositate in magazzino… puoi schiaffarteli in culo! A tuo figlio non la dò manco morta. Piuttosto l'annego con le mie mani, le torco il collo come a una gallina, la faccio morire di fame o anche di crepacuore e tu, figlio di grandissima zoccola, se ti vedo che ti avvicini o anche solo che ci pensi ti spezzo la noce del collo, ti rovino, te e tutta la tua famiglia, a voi e a chi vi ha mandato a chiamare, e Minguccio il Pugliese, la moglie e il figlio furono visti allontanarsi a passo sostenuto lungo la discesa che partiva dalla piazza, mentre sulla soglia del negozio Vincenzo gli bestemmiava dietro, incazzato e soddisfatto.

A partire da quel giorno Candida non poté piú mettere il naso fuori casa.

Trascorreva le ore a reggere la matassa che sua nonna Concetta aggomitolava all'infinito con una rapidità incredibile, distogliendo ogni tanto lo sguardo dal filo per darle un'occhiata scuotendo la testa come se avesse sempre saputo come sarebbe andata a finire. Poi per consolarla iniziava a raccontarle qualche fatto antico, e la morale era sempre che quando una cosa deve andare storta non c'è niente che possa farla andare dritta, la prova era quello che era successo nella loro famiglia, di sua zia Costanza che dio la perdoni, e di tataranna Francesco la buonanima, e quella poveretta di sua madre.

Ma Candida si ribellò a quell'idea e decise che il finale di quella storia l'avrebbe scritto lei, come faceva a scuola quando avevano composizione.

Poiché non sapeva che altro fare si rivolse all'unica persona influente che conosceva: Gesú Cristo. Come si fa in questi casi, gli promise in cambio qualcosa se l'avesse aiutata. Di restituirgli l'uomo che la sua prozia gli aveva tolto. Il Signore, forse, gradí, ma non fu l'unico a vegliare sulla buona riuscita degli amori di Candida e Colino.

Albina non si capacitava. Doveva esserci uno sbaglio. Quella gattarella di sua figlia, quella squaquecchia, quella mezzabotte, chiesta in moglie dal piú bel giovane che si era mai visto a Grottole, quello che tutte volevano e nessuna era mai riuscita ad acchiappare. Invece per qualche misteriosa ragione non c'era nessuno sbaglio, Colino voleva proprio lei e nessun'altra, glielo confermava anche la madre, la sua amica Diodata, cui non riusciva a dar torto quando diceva che suo figlio aveva perso il sentimento. Bisognava approfittare dell'insperata fortuna prima che gli tornasse. E al marito, a mest Vincenzo, ben gli stava.

Il mese di febbraio ci fu una conversazione nella cantina di Nascafolta, che aveva acchiappato la volpe. Ci andò anche Vincenzo. La moglie di Nascafolta con le coratella aveva invitato le commari del vicinato, ed erano andate a mangiare nella cantina della Tricarichese.

Quella notte successero tante cose che per un motivo o per l'altro nessuno si scordò piú e andarono poi in parte ad arricchire il repertorio di storie che fecero compagnia a Gioia mentre si trovava fra la vita e la morte.

Ci fu un'eclissi di luna.

Candida ebbe le sue prime mestruazioni.

Quella sera, per la prima volta da quando Colino l'aveva chiesta in moglie, aveva avuto il permesso di uscire con la zia Angelica, ma mentre passeggiavano dietro il muro si era sentita poco bene e se n'era dovuta tornare a casa da sola, prima del previsto.

Dietro il tramezzo Concetta stava già dormendo, passando la sentí che russava piano piano. Scese silenziosamente le scale che portavano al seminterrato, dove divideva il letto con la zia. Nella penombra esplose all'improvviso un lampo. Scostò la tenda e trovò suo zio Oreste con i vestiti di Angelica addosso, il belletto sulle guance e il bistro sugli occhi, in posa languida davanti a una macchina fotografica montata sul treppiede.

La minacciò di strangolarla se ne avesse parlato a qualcuno e lei giurò che non si sarebbe azzardata. Tenne il segreto per anni, infatti, all'inizio per paura, poi per indifferenza, e ormai se l'era quasi scordato quando, molto tempo dopo, inaspettatamente le tornò utile.

Quella notte, parlando di caccia e di femmine nella cantina di Nascafolta, Vincenzo si scolò una mezza damigiana di vino con qualche senso di colpa e molta soddisfazione. Non avrebbe dovuto, per via del cuore.

Ne soffriva da parecchio, piú o meno, aveva calcolato, da quando sua moglie lo faceva andare in bianco tutte le notti. Il medico gli aveva vietato di bere e dato da prendere certe gocce amare come il fiele che lui si scordava un giorno sí e un giorno no, mentre tutti i giorni che dio ha creato non trascurava di farsi un bicchierino di nascosto e certe volte anche due o tre. Li buttava giú d'un fiato, guardandosi furtivamente intorno, e se qualcuno lo sorprendeva sussurrava che non faceva niente, tanto quel cacacazzo del dottore non lo poteva vedere.

66

Tornò a casa che si doveva trattenere per non cantare. Sua moglie era appena rientrata.

Mentre il disco della luna si oscurava, e qualche vecchia, in paese, si preoccupava per la malasorte, nella cantina della Tricarichese Albina aveva riso tanto che le era venuto il mal di stomaco. Al ritorno, come non succedeva piú da anni, fece l'amore con suo marito.

Si stava spogliando in camera da letto quando lui rientrò. Gli altri dormivano.

Vincenzo restò a guardare sua moglie per un attimo, senza fiatare, poi le balzò addosso con la furia di un assetato nel deserto. Ad Albina venne una strana idea e lo lasciò fare.

Vincenzo la possedette con forza, e il cuore sembrò uscirgli dal petto, mentre affondava dentro quello che per lui ormai era soltanto un miraggio. Albina lo sentí battere come un tamburo nel suo torace, contro il suo seno, battere forte, forte, forte, e infine sobbalzare e schiantarsi all'improvviso.

Restò sotto di lui ancora un po'. Il peso del suo corpo era piacevole. Fece fatica a sgusciare da sotto quella massa pesante. Lo rigirò. Vincenzo aveva sul volto un'espressione beata, la stessa felicità che per un attimo, a tradimento, aveva invaso anche lei. Gli fece una carezza, veloce veloce, perché in tutti quegli anni a forza di fargli la guerra si era affezionata a lui, anche se mai fino al punto di dargli soddisfazione. Poi si affrettò a chiudergli gli occhi per non pensare a nessuna delle cose che le stavano venendo in testa in quel momento.

Fu cosí che le preghiere di Candida furono esaudite. Il fidanzamento venne celebrato non appena fu finito il lutto stretto.

*Civl Ciavl sceva a l'uort*
*la malombra sceva appress*
*si nan era p'a muss tuort*
*Civl Ciavl saria mort.*

## Capitolo sesto

Lo sai quando ti sei innamorato di me? – chiedeva Candida a Colino, e le spuntava sul viso un sorriso da monella. Quando sono nata, tua madre ti mandò a portare i colombini a mia madre. Mentre te ne stavi andando, mammà ti chiamò indietro. E la piccinenna non la vuoi vedere? – ti fece. Mi prese dalla naca e tu mi desti un bacio. Da allora non mi hai piú dimenticata.

Colino la guardava perplesso. Vattenn, la spingeva, e gli occhi gli sorridevano.

Per potersi sposare dovevano aspettare che Angelica fosse sistemata. Lo aveva preteso Oreste, che dagli abissi della sua vita sprecata emergeva ogni tanto con un atto di inutile tirannia. Le speranze di maritare Angelica erano ormai nulle, ma Candida si impegnò talmente che di matrimoni alla fine ce ne furono non uno o due, ma tre, e misero sottosopra tutto il paese.

Sotto il palazzo che era appartenuto a don Francesco Falcone e dove adesso c'era il circolo, stavano di casa quelli della Rabbia. Si moltiplicavano da generazioni nell'oscurità della stessa stalla, come la mala erba, che la strappi e cresce ancora piú forte, resistente a malattie e incendi, al tifo, al colera, alla fame, alle alluvioni, ai pidocchi e alla scabbia, impegnati solo a riprodursi, accoppiandosi i padri con le figlie, i fratelli con le sorelle, senza piú sapere come si chiamavano, parlando a stento, alcuni emettendo versi, altri ringhiando come cani.

Solo ogni tanto, per sbaglio o per uno scherzo delle proprietà combinatorie, veniva fuori una femmina che si trovava a un gradino un po' piú alto della scala evolutiva e proprio per questo era particolarmente disgraziata. Lucrezia lo era piú di tutte.

Non brucava l'erba dei pascoli senza nemmeno distinguerla dalla cicoria, non disputava ai maiali i torsoli delle pere, non aveva mai mangiato un gatto appena tra-mortito, né i pesci acchiappati nel Basento con tutte le scaglie. All'età di dodici anni si era miracolosamente conservata vergine. Si pettinava e quando poteva si lavava. Aveva imparato a parlare a un'età decente e poiché si vergognava della miseria in cui vivevano raccontava una caterva di bugie.

Descriveva casa sua in maniera ogni volta diversa, spiegando com'era bella la naca per il fratello piccolo, il pedale pieno d'olio, la madia col pane, u giuston traboccante di grano, i boccali di salsicce sott'olio arrotolate come serpenti, senza preoccuparsi del fatto che tutti conoscevano benissimo la verità. Quando le davano del cibo in elemosina rispondeva che aveva già mangiato. Il mangiare, però, lo prendeva. Per Antonino il porco. Cosí diceva.

In paese era benvoluta perché quando c'era da lavorare non si tirava mai indietro. Storpiava ancora le parole che già andava a pascere i porci e prendeva l'acqua alla fontana alzandosi in punta di piedi.

Lucrezia stava lavando a terra a casa di Albina quando la vide Giuseppe, e poco ci mancò che a causa sua Candida non restasse zitella.

Giuseppe Amodio, figlio di Rocco, era partito per le Americhe che era solo un ragazzo. A Napoli, dove era andato a prendere il bastimento, aveva visto il mare per la prima volta in vita sua. Appena arrivato davanti a quella immane massa d'acqua che si muoveva da tutte le parti mandando un odore mai sentito che si mescolava a quello del catrame delle navi, gli si erano rizzati tutti i peli del corpo e le gambe gli si erano piantate a terra come se all'improvviso avessero messo radici.

Avevano dovuto trascinarlo come un ciuccio imbizzarrito, perché ormai erano state già pagate le centocinquanta lire del biglietto e le cento del sensale che ci volevano per partire, e l'avevano spinto di forza nella stiva.

Aveva vomitato per tutto il tempo che era durata la traversata. Con le budella che gli si arrotolavano e lo stomaco che sobbalzava, guardava dagli oblò quell'elemento nemico che all'alba e al tramonto si tingeva di sangue. Lo immaginava popolato di mostri ignobili che presto avrebbero risucchiato il bastimento, ma non poteva parlarne a nessuno perché nessuno capiva il suo dialetto, e lo spaesamento l'aveva reso solitario.

Mentre si rigirava senza prendere sonno, la notte, si chiedeva quale peccato avesse mai commesso, perché non può essere che un cristiano timorato di dio, senza aver fatto niente, venga mandato all'inferno mentre è ancora in vita.

L'unica cosa che gli impedí di perdere la ragione fu un sacchetto di olive nere sotto sale che sua madre gli aveva dato prima di partire. Ne mangiava una ogni sera, masticandola lentamente insieme al pane che metteva da parte a mezzogiorno, e nel sapore che sprigionava quella carne salmastra riusciva per un attimo a ricordarsi chi era, a ritrovare il volto dei familiari, il fiato caldo dei fratelli che dormivano con lui la notte, il brontolio degli animali, gli odori e i suoni di casa sua, e a trasformare l'angoscia in nostalgia, lo sgomento in rimpianto, la pazzia in rassegnazione.

Una notte di tempesta, sballottato dalle onde, mentre vomitava dalla balaustra, si era chiesto disperato come aveva potuto ridursi in quel modo e si vergognò talmente che avrebbe voluto lasciarsi andare per sempre a quell'acqua nera che temeva tanto. Ma poi gli era venuto un pensiero, come una mano in mezzo alle onde a cui aggrapparsi. Giurò a se stesso che se mai fosse uscito vivo da quell'incubo, una cosa cosí a suo figlio non sarebbe mai toccata. Avrebbe tenuto i piedi ben piantati per terra, suo figlio, nessuno l'avrebbe mai costretto ad avventurarsi in posti che i cristiani non dovrebbero visitare nemmeno in sogno. Non avrebbe mai firmato con una croce la sua condanna a morte.

Giuseppe riuscí a sfuggire ai suoi incubi, ma non fu mai piú il ragazzo con la giacca troppo grande che era partito dal porto di Napoli, aveva sceso la strada verso la marina masticando un babà al rum, nel cui sapore sconosciuto e zuccherino sembravano annidarsi tutte le promesse della Merica, il paese dell'abbondanza dove il cacio piove sui maccheroni e i carri camminano senza muli, come i sensali l'avevano descritto a suo padre, che si era spaccato la schiena per mettere da parte quanto sarebbe bastato a sfamare tutta la famiglia per sei mesi, pur di spedirlo laggiú come un messaggio nella bottiglia.

Il giorno della partenza tutto il paese era venuto alla Via Nuova per salutarlo. Mentre saliva sul traino c'era chi gli dava una lettera per un parente, chi una benedizione, chi gli raccomandava di ricordarsi di lui come se avesse già fatto fortuna. Quando la nave della compagnia La Veloce era partita con la sua tonnellata umana, il filo del gomitolo che teneva in mano un contadino abruzzese accanto a lui si era spezzato, e tutto era finito in quel momento.

Per arrivare a Nuova York ci misero tre settimane. La Merica, aveva sentito finalmente gridare una mattina. Salendo su dalla stiva, fra il cielo di piombo e il mare di piombo aveva visto volteggiare malinconici gabbiani, poi davanti agli occhi gli era esplosa una visione inimmaginabile: i grattacieli di Manhattan.

Due giorni piú tardi, tanto ci volle per sbrigare le formalità, dopo quattordici ore di attesa, di freddo e di digiuno sul ferry boat, lo sbarcarono insieme ad altri mille a Ellis Island, l'isola della fortuna secondo alcuni, delle lacrime per altri.

72

Li incolonnarono sotto una pensilina e li spinsero in un edificio di mattoni rossi, di vetro e di ferro, grande da solo quanto tutta Grottole.

Nell'atrio lo aggredí un frastuono di voci, un miscuglio di facce di tutti i colori, di barbe, turbanti e copricapo, di ordini gridati in lingue incomprensibili, di singhiozzi che rimbombavano sotto le volte. Una donna accanto a lui si dibatteva come se fosse posseduta dal demonio perché un poliziotto voleva separarla dai suoi bagagli, un cesto di vimini e due fagotti che lasciavano intravedere qua e là un cucchiaio di legno o un ricciolo di lana di pecora. Piú lontano una bambina col vestito della prima comunione si guardava intorno inebetita.

Lo spogliarono nudo ed esplorarono ogni centimetro del suo corpo, gli rivoltarono le palpebre con un uncino per le scarpe e gli fecero domande che gli sembrarono là per là senza senso. Seppe dopo che non volevano pezzi di scarto, lí alla Merica: niente epilettici, imbecilli, bari, tubercolotici, anarchici, poligami e poveri.

A un suo vicino, un tipo coi baffetti sottili e gli occhi brillanti, segnarono una X sulla schiena. L'uomo si svincolò e sarebbe corso a buttarsi nell'acqua gelata se non l'avessero trattenuto.

Un poliziotto all'improvviso aveva gridato il suo nome e lui si era spaventato. Chi gliel'aveva detto? Non si erano mai visti prima, poco ma sicuro. Gli sembrò che lo guardasse storto. Forse senza saperlo aveva fatto qualcosa di male, e adesso sarebbero venuti a prenderlo e lo avrebbero buttato in galera, o peggio. Molto peggio. Invece di lí a poco gli aprirono le porte della Merica e lo spinsero fuori nel freddo di gennaio.

Tutto questo e ciò che successe dopo aveva voluto dimenticarlo, anni piú tardi, quando era diventato un barbiere che la domenica per andare a messa si metteva la camicia bianca e il completo gessato, e aveva un negozietto a Mulberry Street, sud di Manhattan, Nuova York. A ri-

73

cordarsene avrebbe pianto ancora, e non poteva piú perché era un uomo. Quando ebbe trent'anni decise di tornare al suo paese per prendere moglie.

Il viaggio sulla nave questa volta non gli aveva fatto la stessa paura, non perché fosse diventato piú coraggioso, o si fosse abituato, ma perché insieme al filo di lana del contadino abruzzese qualcosa si era spezzato per sempre dentro di lui.

Arrivato al paese raccontava dell'America come se fosse tutto rose e fiori, sfoggiando un completo gessato e un cappello che aveva un nome come un cristiano, Borsalino, cose che da quelle parti non si erano mai viste. Ricordava quelle rondini a cui i bambini tagliano le ali e ingrassano.

Come moglie gli avevano proposto Angelica, che ormai cercavano di piazzare a chiunque fosse stato via abbastanza da aver dimenticato la sua età.

Giuseppe la incontrò in un salottino in penombra, che la proteggeva dai frastuoni del mondo e nascondeva la perdita di nitore della sua figura, unica conseguenza dell'età avanzata.

Se ne erano stati seduti sul divano, lei contegnosa, lui che non sapeva che dire, intimidito malgrado il completo gessato, biascicando ogni tanto qualche parola in una lingua ibrida che parlavano soltanto in un certo quartiere di Nuova York o per essere precisi, in quella forma, lui soltanto.

Tutta la famiglia aspettava gli esiti del colloquio al di là della porta chiusa, e una volta tanto erano tutti d'accordo. Angelica non avrebbe potuto trovare di meglio. Avrebbero accettato qualunque condizione.

Ma caso volle che Giuseppe, goffo e intimidito com'era, rovesciasse col gomito la bottiglia di rosolio. Il cristallo era andato in pezzi e il liquido appiccicoso si era riversato sul tappeto. Angelica, minimizzando, aveva mandato a chiamare Lucrezia.

Da quando aveva imparato a camminare, la figlia della Rabbia passava da loro tutto il tempo che le avanzava dalle altre faccende e quando c'era da fare era sempre in prima fila.

Anche quella volta si era buttata a corpo morto. Di muso a terra strofinava e strecava, col busto schiacciato fino alla vita, le braccia allungate e il sedere proiettato in alto che faceva su e giú come quello di una giumenta. Un sedere incommensurabilmente ben fatto, schietto, tondeggiante come la luna piena.

Mentre Angelica continuava le sue insulse chiacchiere di circostanza, l'attenzione di Giuseppe era stata via via catturata dai movimenti ondulatori di quel deretano, dalle sue proporzioni perfette, dalla sua esuberanza e dalla sua voglia di vivere, fino a non poterne piú staccare gli occhi. Il senso di oppressione che lo aveva colto da quando era entrato in quella stanza si stava dissipando lentamente, e tutte le tristezze della sua vita trovavano consolazione. Quando finí il colloquio e la famiglia lo accompagnò alla porta temporeggiando, Giuseppe deglutí due o tre volte, si fece forza, poi sotto gli occhi speranzosi di tutti chiese in moglie Lucrezia.

I matrimoni di Lucrezia, di Angelica e di Candida furono fissati per lo stesso giorno.

Quando anche Candida stava per perdere ogni speranza era arrivato un cieco. Era stato guardia forestale e aveva perso la vista per un banale incidente sul lavoro, mentre puliva la schioppetta d'ordinanza. Era rimasto a vivere a Perugia, dove se la passava bene per via della pensione. Candida pensò che era l'occasione da non perdere. Lui non avrebbe scartato Angelica, come ormai facevano regolarmente i pretendenti, anche i piú brutti e poveri. Ora l'importante era che Angelica non scartasse lui.

Candida era l'unica a conoscere la vita intima di sua zia, i suoi sogni color di rosa, le sue fantasticherie di Capodimonte. Si fece forza di quei sogni senza costrutto per far sí che i suoi progetti diventassero realtà.

Iniziò a parlare al cieco. Prima di tutto gli descrisse la bellezza di Angelica, come se la ricordava quando era piccola e come la mostrava una fotografia che le avevano fatto quando aveva diciott'anni. La sua pelle immacolata, i riflessi ramati dei capelli. L'oro liquido dei suoi occhi. La nobiltà del portamento. Ne fece un'eroina da romanzo, l'erede sfortunata di una grande fortuna, di barili pieni di soldi che nessuno sapeva dove fossero nascosti, una principessa senza regno che l'avversa sorte aveva spodestato ma non vinto, e le parole le venivano alle labbra come se don Francesco stesso, dal dagherrotipo che lo ritraeva, gliele stesse suggerendo all'orecchio.

Il cieco si lasciò convincere, affascinato dalla voce di Candida e dalle parole che sceglieva per raccontare. Un po' alla volta si ritrovò innamorato, non capiva bene di cosa e di chi, perché il personaggio si confondeva con la narratrice, e la realtà con i sogni, ma quella confusione gli era dolce perché nella forzata immobilità della sua condizione aveva imparato ad apprezzare la fantasia e Candida ne approfittò per procedere nei suoi piani.

Bisognava far innamorare Angelica. Iniziò a istruire il cieco sul carattere della sua futura sposa e su come conquistarla.

Nei pomeriggi passati a bere rosolio sul divano di casa con le molle rotte, il cieco riferí ad Angelica, come se fossero vere, le storie che Candida aveva inventato per l'occasione. Le parlò delle sue imprese in Tripolitania, dei barbari costumi dei mori, della fertilità di quelle terre che era andato a conquistare, e le descrisse in ogni minimo dettaglio il suo passato di aviatore, e cosa si prova a stare sospesi fra le nuvole. Le disse come faceva il vento quando ti veniva in faccia denso come l'acqua di un ruscello, e come la terra da lí sopra sembrasse una stoffa a fantasia, con i disegni dei campi che facevano tanti quadrettini e le case piccole come pois.

Angelica fu conquistata, e quando il cieco le raccontò

della battaglia, di quando l'aereo era stato abbattuto e lui era rimasto per tre giorni come morto, e aveva perso la vista, si era messa a piangere silenziosamente con le lacrime che le scivolavano sulle guance non piú piene come un tempo, come sempre faceva verso la fine dei suoi romanzetti, nel momento in cui l'amore dei protagonisti veniva messo in serio pericolo, e con impeto improvviso gli prese la mano. Senza piú distinguere tra realtà e fantasia, e tra le proprie fantasie e quelle altrui, Angelica e il cieco si giurarono amore per l'eternità.

All'altare le accompagnò Oreste, tutte e tre. Coi baffi impomatati che sembravano voler forare le nuvole, fiero come don Francesco l'aveva immaginato prima ancora che fosse concepito, accompagnò per prima la sorella, Angelica, addobbata di pizzi come la madonna di Pompei.

Ma sulla soglia della chiesa madre nessuno gli venne incontro per prendere il suo posto al braccio della bella. Il viso di Oreste si colorò di rosso porpora e sembrava dovesse produrre un incendio da un momento all'altro.

Candida, che aspettava il suo turno in casa, quando il nipote di Cacalenzuoli venne ad avvertirla pensò per un attimo che sua nonna aveva ragione a dire che quando una cosa deve andare storta non c'è niente che può farla andare dritta e si sentí male che per poco non svenne.

Sul sagrato la gente mormorava. Un cieco la carne fresca la riconosce a naso, disse scuotendo la testa con aria da intenditore Luigino la Ciminiera, il beccaio. Concetta si fece tre volte il segno della croce e mormorò zitto zitto che lei aveva sempre saputo come andava a finire.

Ma da qualche parte qualcosa voleva esistere. Lottava contro il freddo e l'oscurità. Non voleva essere un'altra cosa, una delle tante possibili. O quello o niente, si incaponí, e alla fine l'ebbe vinta. Era, anzi sarebbe stata, Gioia.

Il cieco stava nella bottega di Zucculecchia, in mutande, col piede che non passava nella gamba del pantalone.

Stringi stringi me l'hai detto tu, faceva Zucculecchia senza scomporsi, e segnava col gesso rotondo il punto dove riprendere la cucitura, perché di stoffa dentro ne lasciava piú di quanta ce n'era fuori, per rimodernamenti, ripensamenti, crescita e ingrassamento, senza preoccuparsi di bozzi e montagnole.

Chiedeva ai suoi clienti di incurvare un po' le spalle, di trattenere la pancia, di ritirare un braccio o di tenerlo piegato. Ecco! – diceva soddisfatto. Vedi? Cade a pennello. Cuciva abiti per contorsionisti, gente dotata di spirito di adattamento dalla naca fino al tavuto.

Il grande matrimonio fu festeggiato nella masseria di Serra Fulminante, la stessa che era appartenuta a don Francesco Falcone e dove tanti anni prima si erano accampati i briganti. Ancora, su un olivo vecchissimo, era intagliato un rozzo disegno nel quale a guardar bene si poteva riconoscere lo stemma dei Borbone.

Passò solo una settimana dopo il matrimonio, il tempo necessario per mettere incinta Lucrezia, che Giuseppe tornò nuovamente in America. A Nuova York avrebbe liquidato l'attività da barbiere. Coi soldi avrebbe comprato una casa e un pezzo di terra.

Angelica e il cieco partirono per Perugia, e lí iniziarono la loro vita semi immaginaria, illudendosi ognuno sul conto dell'altro e dandosi in questo modo tanta felicità. Quelle rare volte che in seguito tornarono, Angelica non sembrava invecchiata, solo ogni volta piú irreale, come se a forza di vivere nel suo mondo immaginario avesse preso in qualche modo a farne parte.

Capitolo settimo

Il 24 maggio del 1915 venne dichiarata l'entrata in
guerra dell'Italia. Nel resto d'Europa il conflitto era iniziato già da un anno, ma a Grottole sembrava una cosa
lontanissima. Al circolo continuavano a parlare del tempo
e del raccolto, sempre gli stessi discorsi, anno dopo anno.
Adesso si seppe che tutti gli uomini validi dovevano partire per il fronte. Fu una disgrazia per chi aveva qualcosa
da perdere. Gli altri la considerarono una fortuna, perché
coi pochi soldi della diaria pensavano di poter campare la
famiglia. Ci furono zoppi che si sforzarono di camminare
e orbi che finsero di vedere perfettamente pur di essere
arruolati. Colino, invece, avrebbe dato un braccio per non
partire, cosa che peraltro qualcuno fece. Quando venne
annunciata l'entrata in guerra, Candida aveva appena partorito il suo primo figlio, Domenico detto Mimmo, in onore di Minguccio il Merciale che ogni tanto veniva a rim-
bambirla con le sue visite.

Subito dopo il matrimonio, Candida e Colino erano stati presi da un'estasi amorosa che durava ancora e durò poi
per tutto il tempo che trascorsero insieme.

Quando la mattina Colino si alzava per andare alla bottega, Candida restava sotto l'imbottita. Era lui che preparava il caffè e glielo portava a letto, stranezza della quale in paese si mormorava con incredula benevolenza. Il
tempo della tazzina era quello che Candida aveva a disposizione per indurre il marito a raggiungerla di nuovo
sotto le coperte. A volte lo sorprendeva con un bacio che

79

lo faceva arrossire. Sta sfaccimm, le diceva, e intanto Oronzio che lo aspettava in piazza si ubriacava.

Nessuno, a Grottole, era mai stato piú felice di loro. Mentre il paese precipitava verso la guerra, Candida e Colino si abbandonavano senza rimorsi al loro amore coniugale e Albina borbottava in silenzio scuotendo la testa, perché la felicità da quelle parti non era mai stata giudicata adatta alla gente come si deve. L'infelicità era piú stabile, piú sicura e a conti fatti piú decorosa, ma non lo poteva dire apertamente, perché Colino portava a casa il pane e certe volte anche la carne, che nascondeva sotto il cappotto per non offendere i compaesani.

Ma i paradisi sulla terra non sono fatti per durare e arrivò anche per Colino la cartolina che lo chiamava alle armi. Candida perse il latte e Mimmo rischiò di morire.

Fu allora che in casa comparve Mammalina.

La sventurata moglie di Oronzio aveva due figli, ma soprattutto aveva quel marito disgraziato che si beveva tutto quello che lei portava a casa andando a fare la serva e la balia. Colino lo faceva lavorare ogni tanto, per pietà, ma erano piú le volte che non si presentava. Quando Mammalina si ribellava erano mazzate, ma lei non se le teneva e reagiva come una tigre. Li sentivano gridare da in mezzo alla piazza.

Quando fu dichiarata la guerra Oronzio fu uno dei primi a chiedere di arruolarsi come volontario, allettato da quello che aveva sentito dire, che lo stato sistemava le famiglie dei reduci e dei caduti, dava la terra. Gli sembrava una cosa dell'altro mondo che qualcuno fosse disposto a tanto anche per un ubriacone come lui. La terra… Avesse anche dovuto pagarla col suo sangue, avrebbe sempre pensato di averla avuta a buon mercato.

Quando Mammalina seppe che si era arruolato iniziò a guardarlo con altri occhi. Per la prima volta da quando l'aveva messa incinta quindicenne quell'uomo si preoccupava di fare qualcosa per i figli.

Il giorno prima che Oronzio partisse Mammalina si presentò a Candida e non si decideva a parlare. Diceva e non diceva, ci girava intorno, e Candida stava per perdere la pazienza. Cummà, m'a fa nu favor, disse infine compunta. Le chiese due soldi per comprare una capuzzella da cucinare al marito che il giorno dopo partiva per la guerra. Poi andò in giro per il paese e a chi chiese una patata, a chi una cipolla, alla fine mise insieme una cena che a casa loro non si era mai vista.

Quando fu la sera si mise il vestito buono, lo mise anche ai figli e apparecchiò la tavola. La capuzzella mandava un odore da svenire. Dovette difendere la tortiera come una belva, aspettando Oronzio per cominciare a mangiare. Ma faceva buio e Oronzio non tornava. I figli avevano fame. Lei per il nervosismo li prendeva a schiaffi, li pizzicava sulle braccia. Sperò fino all'ultimo, finché le creature si addormentarono di testa sulla tavola. Li mise a letto a stomaco vuoto, che non era una novità.

Era l'alba, quando Oronzio tornò cosí ubriaco che a stento si reggeva in piedi. Gli fece trovare lo zaino già fatto, con la roba stirata e un involto con dentro la capuzzella. Glieli consegnò dicendo "la prima palla vuol essere la tua".

Dopo circa un mese a Candida arrivò una cartolina postale che Oronzio si era fatto scrivere da un commilitone. Chiedeva perdono alla moglie per tutto quello che le aveva fatto passare, e pregava Candida di parlarci lei perché credesse davvero che questa era la volta buona che sarebbe cambiato. Diceva la verità. Infatti quando la cartolina arrivò Oronzio era in piena trasformazione chimica in un crepaccio sotto il monte Cosich. Era morto nella battaglia dell'Isonzo, la prima della guerra. Fu uno dei tanti militi ignoti che l'Italia celebrò nelle sue piazze.

La terra che aveva sognato, quella per cui si era arruolato e per la quale aveva dato il sangue, si rivelò una leggenda, ma col sussidio che le spettò, per quanto misero,

Mammalina riuscí a crescere i figli. Li fece persino studiare, in un convitto per gli orfani dei caduti in guerra. La femmina diventò maestra d'asilo, e tornò che parlava settentrionale. Il maschio si diplomò perito agrario, ma poi morí nella campagna di Russia, durante la seconda guerra.

Mammalina ringraziava tutti i giorni suo marito Oronzio, che finalmente si era deciso a fare il suo dovere, onorando e amando la sua immagine come non aveva mai fatto quando era ancora in vita.

Nel 1971, mentre Gioia giocava con le amichette nella masseria abbandonata vicino al mare, il presidente della Repubblica Giovanni Leone conferí l'onorificenza di Cavalieri dell'Ordine di Vittorio Veneto ai reduci della prima guerra mondiale, quelli che erano ancora in vita. Le pensioni cominciarono a essere corrisposte verso il 1980, e consistevano in 80 000 lire al mese, non retroattive a parte le 100 000 lire accordate per tutti gli arretrati.

Colino invece non partí. La sera prima della partenza si rese conto che Candida non sarebbe sopravvissuta se gli fosse capitato qualcosa. Allora se n'era andato in negozio. Aveva trafficato a lungo col nitrato ammonico e il nitrato di calcio, che servivano per concimare il grano e bisognava manipolare sempre con la massima cautela, perché potevano scoppiare. Era tornato a casa che era sordo. Non partí per la guerra, ma da allora in poi per parlargli bisognò guardarlo negli occhi e gridare. La cosa non gli pesò mai. Gli permise di non sentire le maldicenze, il chiasso e le chiacchiere a vanvera. Gli arrivavano solo le cose che gli volevano dire davvero, il meglio del meglio, e per capirne tante altre non ebbe bisogno di parole.

Dopo la guerra il paese si riempí di storpi e di vedove. Degli uomini ancora validi molti emigrarono. Nelle strade di Grottole e in quelle dei paesi circostanti, sulla Via Nuova, all'Ai Mar, al Cugno del Ricco dove era morto don Francesco, erano tornati i briganti. Ma non era il comandante Crocco risorto, come dicevano le parole di una canzone che gli era dedicata, non erano gli eroi leggendari le cui gesta si raccontavano davanti al camino, non combattevano per un regno situato non si sa dove, forse lí, forse a Tripoli, forse da nessuna parte come il giardino dell'Eden che tutti sanno che esiste ma nessuno sa dov'è. Avevano solo fame ed erano pronti a uccidere per un pugno di farina.

Colino dovette difendersi da loro piú volte. Era lui che nel paese dissanguato mandava avanti l'economia.

Durante gli anni del fidanzamento aveva messo su un negozio, poco piú di un buco, che in poco tempo era diventato per Grottole molto piú importante di una banca. Oltre alle stoffe vendeva il mangime, il concime, lo zolfo e il solfato di rame per le vigne. Comprava il grano dai contadini e lo vendeva all'ingrosso ai mulini. Vendeva la farina, i ceci, le fave, le lenticchie, i fagioli, la pasta e il granone. I lampascioni, la ricotta, le scope di pennacchia e la radica saponaria. Le olive e le uova. L'orzo e la crusca. I bottoni e il cotone per i merletti. E qualunque altra cosa si potesse comprare o vendere.

Dava la merce a credito, con scadenze che andavano da agosto ad agosto, prendendosi in carico le famiglie e rifornendole di tutto, dalla stoffa per i vestiti al disinfettante per la vigna, e segnando ogni cosa su un quaderno a quadretti con certi scarabocchi misteriosi che era l'unico a capire. Quando era il tempo del raccolto, la gente veniva da lui col grano per saldare i debiti dell'anno passato e iniziare una nuova stagione di debiti, che si avviava con la sementa per le nuove piantagioni, proseguiva col concime, lo zolfo, e poi pian piano con la farina e le olive prese a credito quando le scorte non bastavano piú. Quando l'annata era cattiva, e raccolto non ce n'era, Colino non negava comunque il rinnovo del prestito. Si ricominciava tutto daccapo, fino all'agosto successivo. Non perseguitava nessuno per i soldi che gli doveva, ma non dimenticava. Finiva sempre per riscuotere.

Non chiedeva una lira di interesse sui prestiti, nemmeno quello che avrebbe preso una banca, o il tasso che avrebbe ricevuto se avesse depositato lui il capitale. Forse se l'avesse fatto si sarebbe arricchito. Piú probabilmente sarebbe fallito nel giro di pochi anni. Non si seppe mai se la sua fosse onestà o fiuto per gli affari, perché non ci sarebbe stata altra possibilità di fare commercio in un posto dove i contadini riuscivano a tirare avanti per miracolo. Un po' alla volta aveva messo su un patrimonio e una reputazione. Nel giro di pochi anni era stato in grado di ricomprare per Candida la casa di don Francesco Falcone, che era una delle piú belle del paese, e aveva iniziato i lavori per renderla nuovamente degna di essere usata come abitazione dopo tutti quegli anni in cui dentro ci avevano fatto il circolo.

Fecero abbattere la scalinata a vite che era rimasta a torcersi di inutilità, destinando le stanze di sopra a magazzini. Vi si accedeva con una semplice scala a pioli di legno, come quelle che si erano sempre usate da quelle parti, che non avevano mai giocato brutti scherzi ai proprietari. La fecero imbiancare a calce per togliere le ombre di quei fantasmi che qualcuno aveva visto aggirarsi fra i tavoli da gioco, suggerendo numeri che puntualmente perdevano.

Durante i lavori, una mattina, un muratore si mise a gridare come un ossesso, diceva che aveva trovato un tesoro, e tutti pensarono che fosse ubriaco, perché non era un mistero che alzasse il gomito anche di mattina. Invece, quando andarono a vedere, era vero. Vennero fuori, mezzi marci per gli anni, i barili di don Francesco Falcone, pieni di gioielli e di ducati arrugginiti che adesso non valevano piú niente.

Albina guardandoli pianse tutte le miserie della sua vita, il marito scarparo, i vestiti rappezzati, e i figli morti. Oreste per la rabbia si gonfiò come un rospo. Concetta indossò i gioielli e non se li volle piú togliere.

I ducati furono messi in soffitta e conservati per ricordo. Molti anni piú tardi Gioia, bambina, poté permettersi il lusso di giocare coi cugini al negozio o al tesoro dei pirati usando ducati veri.

Giuseppe morí, ma non in guerra. Quando scoppiò il conflitto si trovava ancora a Nuova York, dove cercava di liquidare l'attività a un prezzo vantaggioso, cosa che si stava rivelando piú lunga e complicata del previsto. Il richiamo alle armi lo raggiunse a Spring Street, via della Primavera, dove alloggiava in quel momento insieme a cinque compaesani. Qualche giorno prima gli era arrivata una lettera che gli aveva fatto scrivere Lucrezia. Diceva che aveva partorito un maschio che somigliava tutto a lui.

Non era per dire, era vero, o almeno cosí sembrò a Giuseppe. Quando vide la foto di suo figlio, anche se era solo un neonato in fasce, riconobbe i suoi occhi seri, il suo naso, la sua fronte, e anche quella ruga in mezzo agli occhi, segno di un'accanita volontà. Si vide ricominciare tutto da capo. Gli era offerta la possibilità di cancellare gli errori e le ingiustizie che avevano afflitto la sua vita, e anche quella traversata fatta tanti anni prima, quando le onde del mare, scuotendolo, gli avevano fatto irrancidire l'anima.

Suo figlio avrebbe avuto una strada lineare. Non sarebbe stato costretto a imparare parole sconosciute e blasfeme, non avrebbe preso familiarità con donne bionde e scostumate, non avrebbe visto abissi aprirsi sulla sua testa fra le mura a picco dei grattacieli. Sarebbe cresciuto a Grottole, lí si sarebbe sposato e avrebbe avuto una casa come si deve, poggiata sulla terra, dove sarebbero nati i suoi figli. Per amor suo Giuseppe diventò uno dei 470 000 renitenti alla leva della prima guerra.

Lucrezia restò ad aspettarlo, a Grottole, e crebbe il figlio da sola. Le rimesse che Giuseppe aveva provato a mandarle si erano perse nelle mani di faccendieri e nelle tra-

versie del conflitto, così dovette andare a giornata e portarsi il bambino nei campi.

Rocco aveva quattro anni quando vide suo padre per la
prima volta.

Nel 1919 Giuseppe si imbarcò sulla *Regina Giovanna*,
una nave nel cui motore c'erano quasi 8000 cavalli ma non
se ne vedeva neanche uno, di 22 500 tonnellate, lunga 210
metri e larga 25, in grado di trasportare quasi 2000 viag-
giatori, in rotta da Nuova York a Napoli. La terza classe,
dove viaggiava, era in festa. Sul ponte, accompagnate da
un'armonica o dallo schioccare delle dita, di giorno e di
notte risuonavano canzoni, alcune sommesse e malinconi-
che, altre coi ritmi cadenzati delle tarantelle. Quasi tutti
i passeggeri erano emigranti che come lui si erano sottratti alla chiamata alle armi e solo adesso che era stata pro-
mulgata l'amnistia potevano tornare a riabbracciare i loro
cari.

Giuseppe non si mescolò ai festeggiamenti, preso co-
m'era dai suoi pensieri e da un mal di stomaco insistente
che aveva iniziato ad affliggerlo subito dopo l'imbarco.
Era riuscito finalmente a liquidare il negozio e passò l'intero viaggio a pensare cosa avrebbe fatto coi soldi. Voleva comprarsi la terra di Mazzam'pet, che era appartenuta
a don Francesco Falcone. Suo padre e sua madre ci andavano a giornata, e anche lui ci era andato, quando era bambino, a spigolare. Era una terra fertile, e lui voleva provare a piantarci anche alberi da frutto, perché aveva sentito
dire che ci sono altri modi di coltivare, non solo il grano
che impoverisce la terra. Era impaziente di conoscere suo
figlio.

Quando lo vide, stava giocando con una lucertola morta davanti alla porta di casa. Restò a fissarlo senza dire una
parola, finché il bambino tutt'a un tratto scoppiò a piangere. Il giorno dopo Giuseppe andò alla posta e depositò
i soldi che aveva portato dall'America in un conto vinco-
lato a nome suo e del figlio. Poi si mise a letto.

Durante il viaggio si era preso un'infezione virale. Là per là non ci aveva dato troppo peso, anche se ogni tanto si sentiva debole, gli girava la testa e aveva scariche di diarrea. Era troppo eccitato dal ritorno a casa, ma ora che tutto era stato fatto la malattia poté finalmente assalirlo. Si mise a letto e rabbrividì per due giorni. Lucrezia lo assisteva, aspettando il medico che non arrivò mai. Il terzo giorno Giuseppe chiese a Lucrezia di avvicinarsi e le fece giurare che avrebbe fatto studiare il figlio. Lucrezia glielo giurò, poi quando lui morì dichiarò guerra al Padreterno.

*La formicuzza in un campo di lino*
*disse al grillo dammene un pochettino*
*e la rizumpalallillallero e larizumpalarillà.*

Capitolo ottavo

La stazione di Salandra-Grottole si trova a circa otto chilometri da Grottole, al di là del ponte sul Basento che unisce il paese alla ferrovia, e a quindici da Salandra, in mezzo alla zona dei calanchi. All'inizio degli anni Novanta è caduta in disuso, ma negli anni Trenta ci si fermava il treno che veniva da Potenza e proseguiva poi verso Metaponto.

Il viaggio in terza classe era stato lungo come una traversata oceanica. Da Zagarolo a Grottole Cicia l'ostetrica ciociara aveva dovuto cambiare sette volte e aveva lo stomaco che le usciva dagli occhi. Se non aveva vomitato era solo perché era abituata a sopportare qualunque cosa con stoicismo, senza di che non sarebbe mai riuscita a diventare ostetrica, non si sarebbe trovata su quel treno e probabilmente non sarebbe nemmeno sopravvissuta alle risicate razioni di cibo che le concedeva sua nonna quando era bambina.

Scese impettita dalla carrozza di legno e inciampò sull'ultimo gradino, mentre tirava giú la valigia leggera nella quale erano contenuti tutti i suoi averi. Si guardò intorno. La valle pelata del Basento luccicava sotto il sole. Nella stazione non c'era nessuno. Si sentiva soltanto il gracchiare delle cicale. Cicia si trovava lí per errore.

Guardò il treno allontanarsi lentamente sbuffando, e gettò intorno uno sguardo desolato. Si pentí di non essere rimasta a Roma, fosse anche a far da serva a sua madre e al suo convivente, il signor Lorenzetti. Almeno lí sarebbe stata fra gente civilizzata. Ora si aspettava da un momento all'altro di veder spuntare i pellirosse come quelli che aveva visto al cinema in un western il giorno prima di partire. L'avrebbero circondata lanciando le loro urla selvagge con le mani sulla bocca, poi l'avrebbero legata come un salame intorno a un palo. L'avrebbero scotennata e magari se la sarebbero anche mangiata. Nel cielo alto e azzurro le sembrò di veder passare un condor.

La geografia non era mai stata il suo forte. A dieci anni ancora non sapeva né leggere né scrivere. A quattordici, grazie alla sua tigna e al signor Lorenzetti, l'ultimo amante di sua madre, che si era inaspettatamente rivelato una bravissima persona, era riuscita a sostenere da privatista l'esame di prima avviamento e a diciassette aveva il diploma da levatrice. A diciotto, dopo aver superato il concorso, si era trovata davanti una lista di paesi che iniziavano dalla A e finivano alla Z, e aveva scelto Grottole convinta che si trovasse in Lazio dalle parti di Grottarossa, dove viveva la sua unica amica, una certa Rosina che faceva la sarta.

Quando aveva scoperto che Grottole in realtà si trovava in un posto mai sentito chiamato Lucania o anche Basilicata, giú giú nel cuore dello stivale, dove la circolazione ristagna e il sangue stenta a risalire, ormai non c'era piú niente da fare. Aveva avuto appena il tempo di riadattare un cappotto vecchio di sua madre, perché le avevano detto che in quel posto si moriva di caldo d'estate e di freddo d'inverno, e che c'erano i lupi. Si era fatta cucire da Rosina un abito elegante per quando sarebbe stata invitata a pranzo dal podestà, aveva salutato la madre con dissimulata freddezza e il signor Lorenzetti con dissimulato calore, aveva inghiottito le lacrime come aveva imparato a fare prima ancora di iniziare a parlare, aveva messo in valigia due boccette di chinino contro la malaria ed era partita, con grande soddisfazione di sua madre che non ci teneva ad avere in casa una donna che fioriva mentre lei stava sfiorendo.

Trasalí quando sentí una voce dietro di lei. Era Ciola Ciola con il podestà. Erano venuti a prenderla con un carretto trainato da un mulo che si era impuntato lungo la strada e per questo avevano fatto ritardo. Cicia accolse le scuse con la grazia di una regina, poi salí sul carretto come Maria Antonietta quando la portarono al patibolo, badando bene a reggersi il vestito per non sporcarsi, e calò dal cappello di paglia una veletta bianca che le arrivava fino al mento per proteggersi dalle zanzare assassine e da tutti gli altri insetti.

Cosí fecero ingresso in paese Cicia, Ciola Ciola e il podestà, e cosí li vide Candida dalla loggia di casa sua, quando arrivarono sulla piazza del serbatoio. Li seguiva un codazzo di bambini scalzi con le orecchie a sventola e gli occhi storti, che Cicia guardava con commiserazione e ripugnanza. Candida restò affascinata dal cappello con la veletta, dallo chignon basso e dall'abito da viaggio azzurro scuro. Cicia le sembrò uscita da uno di quei romanzetti che ormai nella sua vita felicemente indaffarata non aveva piú tempo di leggere, e desiderò con tutta se stessa di diventarle amica.

L'occasione non tardò a presentarsi. Quel giorno, mentre era in corso la quotidiana battaglia del pranzo, il tirassegno con le molliche di pane, gli scherzi che i ragazzi facevano di nascosto allo zio Oreste, le minacce e i manrovesci di risposta, i pizzichi, i pianti, gli strilli e le vendette, qualcuno si affacciò alla porta. Ciola Ciola disse a Cicia di entrare, e la muina smise immediatamente.

Poiché era la prima ostetrica dello Stato che arrivava a Grottole, bisognava sistemarla da qualche parte, in una famiglia onorevole e pulita.

Oreste, sostenuto una volta tanto da Albina e Concetta, si oppose in tutti i modi a far entrare in casa quell'estranea, ma non ci fu niente da fare. Candida lo considerava un male necessario, ma i tempi in cui gli dava partita vinta erano passati da parecchio. Dopo essersi consultata, per forma, con suo marito, lasciò Oreste a farsi sangue acido e accettò con malcelato entusiasmo di prendere a pensione la forestiera.

Inizialmente Cicia si tenne sulle sue, perché non voleva mescolarsi a quel popolo sporco, primitivo e disgraziato. Poi si sentí a casa per la prima volta da quando era nata.

Candida aveva sei figli maschi: Mimmo, Vincenzo, Emilio, Michele detto Lillino, Cataldo detto Dino e Francesco detto Ciccio, che le ronzavano intorno tutta la giornata. Da quando si era sposata, fra aborti, gravidanze difficili, allattamenti e malattie, non si era piú alzata dal letto a due piazze abbondanti che Colino aveva fatto venire apposta per lei da Bari. Anemica e stremata, di notte si dedicava con trasporto ai doveri del concepimento e di giorno teneva allegramente banco dalla camera da letto che era diventata la stanza principale di tutta la casa. Lí stazionavano Albina e Concetta, sedute dietro i vetri, in gramaglie, una con la pancia ampia come la chiglia di una barca, l'altra rinsecchita come un pezzo di pane vecchio, tutt'e due ormai ospiti in quella che era stata casa loro. Adesso ci voleva la buonanima – sospiravano con discrezione, contando sul fatto che difficilmente don Francesco sarebbe tornato da lí dov'era.

Concetta biascicava dalla mattina alla sera orazioni in gloria dei defunti. Albina faceva coperte all'uncinetto, adoperando man mano che invecchiava un filo sempre piú sottile, come una tela di ragno nella quale cercava invano di catturare tutte le ore della sua vita trascorsa. Ogni tanto madre e figlia interrompevano queste confabulazioni con l'eternità per tornare bruscamente al presente commentando con una frase in apparenza svogliata qualcosa che avevano appena visto nella piazza, lanciando occhiate acuminate da dietro le tende.

Continuamente c'erano femmine del paese che stazionavano lí dentro. Si sedevano in circolo dietro i vetri, a commentare sempre gli stessi fatti, aggiungendo variazioni col semplice scopo di non annoiarsi, e supposizioni che avevano il peso di una condanna. Oltre ai pettegolezzi, il bon ton locale permetteva che si parlasse soltanto di disgrazie, malattie, incidenti e morti. Quando entrava un'estranea, Albina prontamente nascondeva il merletto. Era convinta che sua sorella Costanza mandasse delle spie a copiarle i disegni delle puntine, quelli che lei inventava come in trance, cosí delicati e complessi che solo una vita lunga e piena di sventure avrebbe potuto concepirli.

Le era arrivata voce che Costanza faceva coperte meravigliose, e per questo si rodeva anche nella vecchiaia, ricordandosi tutti i doni che quella sciagurata aveva ricevuto immeritatamente senza mai ringraziare nessuno. Ancora, certe volte, Albina si chiedeva perché il Signore fosse cosí ingiusto da favorire una che si era presa un uomo destinato a lui e non poteva fare a meno di nutrire una certa antipatia per il Padreterno, che considerava uno smidollato. Cosí stringeva il muso e non rispondeva quando le femmine apprezzavano le coperte di sua sorella. Sceglieva un cotone ancora piú sottile e ne iniziava un'altra, dal disegno fantasmagorico, che raccontava con parole criptate di odio e di amore sprecato e sete di vendetta che avrebbe trasmesso alle generazioni future come messaggi nella bottiglia. Il problema è che non c'erano nipoti femmine per ereditare quelle coperte che si ammucchiavano nella cassa della dote, numerose e impalpabili come pensieri.

I maschi erano un terremoto. Si arrampicavano dappertutto, si spandevano a macchia d'olio per il paese, perdevano le scarpe e si perdevano anche loro, che quando arrivava l'ora di pranzo bisognava contarli e ne mancava sempre qualcuno o ce n'erano tre o quattro in piú. I dispersi tornavano a sera, raccontando improbabili disavventure e fantasiosi incontri e nascondendosi sotto i mobili per non prenderle. Mammalina passava le giornate a rincorrerli, a riparare gli strappi che si facevano sui pantaloni, a bendare ferite, a curare bernoccoli con la patata o i due soldi di bronzo, a dividerli quando si azzuffavano, a pulire le cose che sporcavano e a raccogliere i cocci di quelle che rompevano. Si acquietavano solo nel primo pomeriggio, quando Candida attaccava a raccontare le sue storie, che riducevano il piccolo Ciccio in un brodo di lacrime, mentre Vincenzo, che era stato sempre il piú furbo, liquidava il tutto con un'alzata di spalle.

Adoravano la madre, e Candida corrispondeva al loro amore scherzosamente, abbabbiandoli di chiacchiere, prendendoseli certe volte a dormire tutti insieme nel letto, dove si ammucchiavano e scalciavano, e cantando per loro certe canzoni in una lingua di sciarabas che sosteneva essere a volte francese a volte americano.

Su Mimmo, che era il piú scatenato, pesava la promessa che Candida aveva fatto da ragazza al Cristo di marmo della chiesa. "Se mi fai sposare il figlio di Minguccio u Merciale, Cristo mio, il primo figlio che abbiamo sarà tuo". Quando era nato Mimmo, l'aveva portato vestito da frate fino ai tre anni, e dopo aveva cercato in tutti i modi di instillargli una religiosità alla quale sembrava completamente refrattario. A cinque anni faceva il chierichetto, e stonava gl'inni sacri. A sei si era bevuto il vino della messa ed era rimasto ubriaco per tutto il pomeriggio. A sette aveva venduto ai compagni le ostie consacrate, in cambio di una conchiglia che aveva dentro il rumore del mare.

Candida non disperava. Era convinta che al momento opportuno, come riportavano spesso le vite dei santi, la vocazione si sarebbe palesata decisa e inequivocabile quanto piú turbolenta era l'adolescenza, e cominciava a prendere informazioni su dove mandarlo in seminario.

Intanto lei e Cicia erano diventate inseparabili. Fin da

bambina Candida era stata irresistibilmente attratta da ogni novità, cosa che le restò poi anche da vecchia, quando era in grado di usare apparecchi che sua figlia non voleva nemmeno toccare. Quella forestiera era una fonte inesauribile di informazioni su un mondo la cui effettiva esistenza era incerta, e proprio per questo non smetteva mai di affascinarla.

Durante le sere d'estate, al fresco, mentre i bambini spiavano dalle finestre dei sottani i contadini che si spogliavano, Candida interrogava Cicia su quelle volte che aveva fatto la comparsa per il cinematografo.

Assumendo l'aria svagata di una diva in incognito, Cicia le descriveva il trambusto dei macchinisti, le scenografie di legno e compensato che sembravano vere, gli antichi romani drappeggiati nelle toghe, tralasciando le lunghe attese, i vestiti invernali d'estate e quelli estivi d'inverno, le ingiurie, la volgarità, i capocomparse che muovevano le masse col bastone.

Stanotte ho fatto un sogno... – se ne uscí Candida una mattina, mentre prendeva il caffè con Colino. Colino la guardò perplesso, come faceva sempre quando c'era una novità. Una settimana dopo erano a Roma.

La prima cosa che visitarono fu la basilica di San Pietro. Candida restò a bocca aperta, nello spazio immenso della chiesa. Guardò sconcertata suo marito. Le statue, in alto, erano grandi e minacciose come i giganti cattivi delle storie. Il dio che abitava lí dentro, pensò, doveva essere un prepotente maleducato peggio di quelli che avevano incontrato per strada, mentre chiedevano informazioni per arrivare lí. Roma non somigliava quasi per niente ai racconti di Cicia e all'idea che lei se n'era fatta ascoltandoli, cosí quella fu anche l'ultima cosa che videro. Preferí tornare a Grottole a venerare il suo cristo domestico, che non faceva sprechi, e immaginare i fasti della capitale come li voleva lei.

Con Candida Cicia aveva recuperato rapidamente la

sua infanzia sciagurata, sbattuta da una nonna a una zia, tollerata a stento e schiavizzata. A forza di raccontarle la sua vita rivista e corretta, aggiungendo ogni volta particolari che iniziavano a far parte a pieno titolo dei suoi ricordi, si costruí un passato felice che la guidò per coerenza verso un futuro prosperoso. I capelli le diventarono lucidi e gli occhi brillanti, e dopo non molto tempo sposò un caporale di poche e solide convinzioni che finalmente diede alla sua vita disordinata il rigore di cui aveva bisogno. Se la portò a vivere a Vercelli, dov'era stato trasferito, e lei si adattò immediatamente anche alla nebbia, lasciando senza batter ciglio il paese che l'aveva accolta tanto amorevolmente, e Candida.

Continuarono a scriversi per tutta la vita e quando poi la piccola Clelia venne a rifugiarsi nelle sue gonne, Candida l'accolse a braccia aperte in ricordo dei racconti di sua madre, del suo chignon basso e del vestito azzurro che portava la prima volta che l'aveva vista.

Fu Cicia che fece nascere Alba, settimina.

Per tutto il tempo che durò la sua fertilità Candida fu sempre incinta. Partoriva e ricominciava. Abortiva e ricominciava. Non può essere, diceva Colino ogni volta, invece era.

Le acque si ruppero prima del previsto, una sera, mentre Cicia le stava raccontando un film che aveva visto al cinema, con un'intera orchestra che suonava sottolineando i momenti piú drammatici, la storia avventurosa e paurosissima di una fanciulla sfortunata chiamata Cabiria. Candida fu presa da dolori tremendi e solo l'abilità di Cicia salvò la figlia e la madre. Cicia riuscí a evitare che Candida morisse dissanguata, e a tenerla in vita fino a quando arrivarono all'ospedale di Matera, dove le tolsero l'utero. Cosí Candida smise di restare incinta.

Alba era piccola come un gattino, ma per il resto era perfetta. Quando sua madre, di ritorno dall'ospedale, tentò di allattarla, non volle saperne di attaccarsi al petto, e Candida non insistette, perché quella figlia l'aveva macellata, e preferiva tenere le distanze. Se non fosse stato per Mammalina Alba non sarebbe sopravvissuta.

L'aveva scaldata col suo grande corpo mentre operavano la madre a Matera. Non poté allattarla lei, perché aveva i figli già grandi. La sfamò col decotto di biada e si diede da fare a cercarle una nutrice. Ci mise un po', ma alla fine trovò proprio quello che ci voleva. Una giovane asina con le setole chiare e gli occhi allungati e dolci come quelli di una principessa etiope. Alba dimostrò di gradire, cosí non morí. Si nutrí del latte dell'asina Filomena e dell'affetto di Mammalina, nelle cui braccia si acquietava. Crescendo non somigliava né a sua madre né a suo padre, ma all'asina che l'aveva allattata. Aveva i suoi occhi, il suo portamento elegante e in alcuni momenti, solo per cose di nessuna importanza, anche la sua cocciutaggine.

Appena sua madre la prendeva in braccio, piangeva. Per farla smettere, Mammalina doveva industriarsi col suo repertorio di trucchi, bamboline di carta che si tenevano per mano e ombre cinesi, gli stessi con cui piú tardi avrebbe distratto Gioia quando faceva i capricci.

Lucrezia si dannava. Quando aveva cercato di prendere dalla posta i soldi di suo marito, l'impiegato le aveva detto che non poteva toccarli fino alla maggiore età del figlio. Diciassette anni ancora. Lucrezia non si capacitava. I soldi che le aveva lasciato suo marito. Vincolati, che voleva dire? Si era ribellata. Aveva pianto, imprecato. Urlato. Soldi suoi. Sangue buttato. Alla Merica, fin lí aveva dovuto arrivare la buonanima. Niente. Impossibile. Le cartelle non le sapeva leggere. Tutto scritto qua sopra. Chi gli ha empito la testa? Rocco deve studiare. Ca t vò spdazzà. Ca t voln accid. Ca t vol cazzà na saiett. Ca non t vuò rtrà viv staser. Ca cur crist non t fasc scttà u sagn e u vlen quanta fum men na cimner, che quello Cristo non ti

97

fa buttar sangue e veleno quanto fumo mena una ciminiera. E i tuoi figli, e tua moglie. Dovettero portarla via con
la forza mentre si aggrappava ai banconi e alle porte, tentava di graffiare, sputava, si percuoteva il viso fino a riem-
pirlo di lividi e si strappava i capelli. Non ci fu niente da
fare.

Lucrezia dovette andare a giornata, lasciando il figlio
a chi poteva o portandoselo dietro come quando era ancora in fasce e lo sistemava all'ombra di qualche albero
pregando il cielo che una volpe o una faina non se lo mangiasse.

Si alzava alle tre del mattino e raggiungeva a piedi l'Ai
Mar, Mazzam'pet, Sant' Làzzar', per essere pronta a iniziare il lavoro alla prima luce del giorno. Seguiva l'aratro
per mettere i ceci nei solchi, strappava l'erba quando il
grano era alto e poi la sporchia dalle fave. Toglieva i cri-
sciuli dalle vigne. Sarmentava. Quando c'era la mietitura
seguiva gli uomini per formare le mete. Quand'era il tempo della trebbiatura aiutava a ventilare. In autunno ven-
demmiava, poi andava a raccogliere le olive. Quando non
era tempo né di vendemmia né di mietitura né di raccogliere le olive scavava nei terreni incolti in cerca di lampascioni, o raccoglieva la cicoriella, l'origano, i fiori di ca-
momilla.

Per i lavori che faceva le davano mezza lira da sole a
sole. Lei se la faceva bastare e a volte le avanzava anche.
Spendeva solo per Rocco, per fargli trovare l'uovo fresco
ogni mattina, la minestra di pancotto la sera. Lei mangiava quello che riusciva a trovare. Cicorielle, lumache, erba
quando non c'era nient'altro. Era diventata color della terra, con le rughe scolpite profondamente dentro la carne
ancora giovane, come quelle che segnavano l'argilla nei pe-
riodi di siccità, giú verso l'Ai Mar.

Quello che riusciva a risparmiare lo nascondeva in un
buco accanto al camino. Non l'avrebbe messo alla posta
nemmeno se la scannavano.

Alla posta ci andava lo stesso, per informarsi sui soldi che ci aveva depositato suo marito, e cercando in tutti i modi di convincere l'impiegato a darglieli. E ogni volta se ne andava mormorando fra sé e sé bestemmie e maledizioni, che gli cadesse una saetta in testa perché aveva i suoi soldi e non glieli voleva dare. I soldi con cui avrebbe potuto comprare un podere e coltivarlo. Con cui avrebbe potuto far studiare suo figlio. Ma lei suo figlio l'avrebbe fatto studiare lo stesso, per giuramento e per vendetta, l'avrebbe mantenuto finché non avesse imparato a leggere e scrivere, anche se doveva buttarci il sangue.

La sera faceva canestri con le restucce ricavate dal grano dopo la mietitura, riparava le bisacce, impagliava le sedie. Dopo qualche tempo era riuscita a comprarsi una gallina, che teneva sotto il letto. Ogni mattina dava l'uovo fresco a suo figlio e quando era primavera la metteva a covare. Un pollastro lo uccideva, e lo faceva mangiare al figlio il giorno di San Rocco. Gli altri li vendeva. Coi soldi messi da parte, quando fu la fiera riuscí a comprare un maialetto, una femmina grassoccia e grugnente, con la codina arricciolata.

Rocco era solo. Le lunghe ore trascorse, ancora lattante, imbalsamato nelle fasce sotto un albero, guardando la natura minacciosa intorno, le fronde degli alberi che si scuotevano, il richiamo degli uccelli, il sole che bruciava e il vento che seccava, a macerarsi nei propri escrementi senza che sua madre potesse accorrere ai suoi lamenti di fame, l'avevano segnato per sempre. Fu solo per tutta la vita, anche quando piú tardi fu circondato dai compagni del partito, dai manifestanti, dai contadini a cui insegnava a leggere e scrivere, dalla numerosa e colorata famiglia di sua moglie, e da sua figlia.

L'amore feroce di sua madre non lo riscaldava, anzi lo riempiva di sgomento, ma non poteva far niente, perché è piú facile difendersi dall'odio che dall'amore. Lo subí stoicamente. Lucrezia fece tutto il possibile per separarlo dal resto del mondo. Non lo aveva mandato in campagna, come si faceva con molti bambini già dall'età di quattro cinque anni, perché cominciassero a prendere familiarità con la fatica. Lo crebbe come un signore, con le mani pulite e lo sguardo malinconico, sempre a disagio dovunque si trovasse, timido, ma benvoluto da tutti.

Fin da bambino fu taciturno e grave. Era incapace di distinguere uno scherzo da una cosa seria, e quelle rare volte che rideva era a sproposito. Con gli altri era sempre in imbarazzo, non sapeva come comportarsi, perché non era un signore e non era un cafone.

Quando Lucrezia vedeva i figli dei cafoni che si avvicinavano, coi capelli pieni di pidocchi e le ascelle di zecche, li scacciava a colpi di scopa, e nei casi recidivi a pietrate. Peggio di tutti si accaniva contro quelli della Rabbia, il sangue del suo sangue, che minacciava di morte se li avesse visti avvicinarsi un'altra volta. Temeva che potessero rubare il cibo a suo figlio o contagiarlo con la loro povertà. Lo strattonava e gli diceva "non dar retta", quando lo chiamavano. Lui non era come gli altri. Gli ricordava i soldi che lo aspettavano alla posta, facendogli giurare che non si sarebbe mai fidato di nessuno. Rocco si immolò all'amore di sua madre, e la ricambiò con un sentimento a cui non riuscí mai a dare un nome. Tutta la sua infanzia fu illuminata da un unico affetto, quello per la scrofa.

# Capitolo nono

All'avvento del fascismo, a Grottole, tutti i don vi avevano prontamente aderito. Don Gabriele, don Raffaele, don Valentino, non facevano piú lavorare a giornata nessuno che non avesse la tessera. Se ne stavano seduti davanti al circolo dei signori, in piazza, pretendendo la reverenza di tutti quelli che passavano, salutati sull'attenti dai bambini che tornavano dalla colonia elioterapica e pronti a diventare violenti per un sospetto di dissenso, un saluto malfatto o un'occhiata poco deferente, senza vergogna nemmeno davanti all'età.

I contadini diventarono ancora piú taciturni, piegarono la testa, che tanto c'erano abituati, ma non si entusiasmarono. Una volta alla settimana si rassegnarono a togliere dai campi i figli per mandarli al sabato fascista.

Le parate, le divise coi pantaloni alla zuava, la camicia nera e il fez, i roboanti discorsi di Mussolini, furono guardati con la diffidenza e l'ironia che veniva riservata a ogni cosa che si discostava dall'uso comune. *Duce, duce, portaci la luce*, cantilenavano i bambini nelle loro filastrocche, ma gli adulti scuotevano la testa perché non si aspettavano niente di buono da nessuno, e se qualcuno dava qualcosa erano convinti che sotto ci fosse la fregatura.

Sulla Via Nuova, forse per dare un'idea di cosa sarebbe toccato a chiunque avesse osato uscire dai ranghi, i cespugli e le erbe selvatiche che costeggiavano la strada vennero fatti tagliare creando dei bordi perfettamente squadrati da cui non sporgeva nemmeno una foglia. I grottolesi guardarono a tanta precisione come a un prodigio, pur continuando a chiedersi a cosa potesse servire.

Quelli che aderirono al partito con piú entusiasmo furono i nullafacenti, primo fra tutti Oreste Falcone, il figlio tanto atteso da don Francesco, che fino a quel momento era riuscito a farsi valere solo coi bambini, in particolare i figli di Candida, tiranneggiandoli ogni volta che ne aveva l'occasione. Cioè non tanto spesso, perché sua nipote, senza averne l'aria, non lo perdeva mai d'occhio.

A sessant'anni passati, Oreste si infiammò per le idee di Mussolini. Ciò che soprattutto lo attrasse fu la promessa di fare dell'Italia un impero, di conquistare il posto al sole. L'Etiopia diventò per lui l'immagine del regno che il destino gli aveva ingiustamente sottratto.

Si aggirava per il paese tutto ringalluzzito, fischiettando fra i denti canzonette goliardiche. Poiché il partito apprezzava i volenterosi, gli fu attribuita una piccola carica, e lui trascorreva in sede tutte le sue giornate, informandosi sulle imprese dell'esercito italiano in Etiopia e divulgandole a tutto il paese con la retorica guerrafondaia che subito aveva sposato.

La gente lo salutava con deferenza e gli sorrideva dietro, col misto di timore, divertimento e commiserazione che gli aveva sempre riservato. Ma Oreste non era piú disposto a passarci sopra. Sentiva che era finalmente arrivato il suo momento. E se i camerati lo trattavano con sufficienza, divertendosi alle sue spalle, Oreste sopportava, perché non poteva fare diversamente, ma il suo cattivo carattere ribolliva e coltivava in segreto il sogno della vendetta.

Iniziò a sperimentare il suo potere sui paesani. Diventò l'orecchio del paese. Se qualcuno si permetteva una battuta su Mussolini, poteva star certo che il giorno dopo sarebbe stato convocato alla sede del partito. Una minima critica veniva immediatamente risaputa da chi di dovere, e subito si mettevano in atto le sanzioni del caso: revoca di licenze, pestaggi, esilio. Pian piano i paesani cominciarono a collegare questi episodi con Oreste, che arrivò anche a inventare accuse di sana pianta per vendicarsi di qualche antico affronto. E le persone di cui vendicarsi non mancavano, perché in tutti quegli anni aveva accumulato una dose massiccia di risentimento.

Ma i suoi piú grandi nemici si trovavano all'interno della casa, in quella famiglia che l'aveva sempre tollerato, temendolo solo qualche volta e non amandolo mai. Il bersaglio principale del suo rancore era Colino, che col suo carattere placido se ne stava al centro della famiglia, forte e silenzioso come una quercia, senza bisogno di imposizioni per far valere la sua autorità.

Oreste lo considerava un traditore perché all'inizio non aveva nemmeno voluto prendere la tessera. Non perché avesse la stoffa dell'eroe e volesse resistere al regime, ma perché seguiva pochi e semplici principî, di cui il primo era: alla larga dalla politica! L'aveva ereditato da suo padre Minguccio u Mercial, che a sua volta l'aveva ereditato da suo nonno e da tutta una lunga dinastia di mercanti. I tentativi che molti avevano fatto per convincerlo prospettandogli i vantaggi che ne avrebbe ricavato erano stati inutili. Colino si era schermito come quando Candida voleva fargli assaggiare una minestra nuova. Ma quando lo cacciarono dal consorzio dovette rendersi conto che i tempi erano cambiati. Non poteva piú seguire la regola di suo padre e di suo nonno. Anche se il fascismo non gli piaceva, come, per gli stessi motivi, non gli sarebbe mai piaciuto il comunismo, tirò fuori le cinque lire che ci volevano per la tessera.

In compenso continuò a praticare il contrabbando. Acquistava dai contadini, sottobanco, a un prezzo non calmierato, quella parte del raccolto che riuscivano a sottrarre all'ammasso. Rivendeva poi di nascosto ai mulini della zona, che avevano l'obbligo di acquistare dai consorzi rispettando delle quote sempre insufficienti. Le autorità chiudevano un occhio, ma non quando arrivava una se-gnalazione.

Un giorno, subito dopo il raccolto, Colino aveva il magazzino pieno di grano che non avrebbe potuto giustificare, e se non fosse stato per Ida Miranda, la moglie del maresciallo, che nutriva per lui una passione platonica a tutti nota e venne di corsa ad avvertirlo mentre stavano cenando, sarebbe finito in galera.

Colino passò la notte al magazzino, insieme ai figli, a spostare i sacchi dietro la fiera. Candida se ne restò a casa coi piú piccoli, a prendersi veleno.

All'alba venne l'ispezione. Misero tutto sottosopra, ma non trovarono niente e alla fine se ne andarono, con l'avvertimento di rigare dritto.

Non si seppe mai chi fu a prendere l'iniziativa. Una mattina, nella piazza dove di solito venivano affissi i bandi, vennero trovate le foto di Oreste vestito da donna, col belletto e il rossetto. Si cercò di tenere la notizia nascosta a Concetta, che invece ne parlò per prima, a tavola, in uno dei suoi rari sprazzi di lucidità. Fu evidente che l'aveva sempre saputo. Grazie a dio, aggiunse placidamente, la buonanima l'hanno ammazzato i briganti. Albina giurò che non sarebbe piú uscita di casa per la vergogna, ma comunque non usciva piú da anni. Candida se ne stette zitta.

Tutti gli altri risero, e continuarono a ridere ancora per mesi, e ad alludervi in tutti i modi, anche quando Oreste era ormai scomparso da un pezzo. Quel giorno infatti, dopo essere uscito per strada ed essersi reso conto che tutti lo guardavano sorridendo, era arrivato fino alla piazza e lí aveva capito il motivo di tanta ilarità.

Fu visto girare dietro il muro, eretto come gli permetteva l'età, i pantaloni alla zuava che frusciavano come vele, il fez orgogliosamente piantato sulla testa, e da allora non se ne seppe piú nulla. La tomba che gli aveva destinato suo padre restò vuota, con sopra la sua fotografia e la data di nascita, e su quella della morte un punto interrogativo.

*Nic non vol le maccarun ca so pic.*

# Capitolo decimo

Ciccarí nè nè, ciccari nè nè, si sentiva per il paese. Dopo un po' compariva Rocco seguito dalla scrofa, o la scrofa seguita da Rocco. Trascorrevano insieme le giornate pascolando nei campi sterrati, in mezzo ai rifiuti, scavando buche nel terreno, rotolandosi sui pendii, rincorrendosi, nascondendosi e contemplando il cielo. Erano amici, fratelli, madre e figlio, padre e figlia, e tutti gli altri legami che possono unire due esseri viventi.

Inizialmente Rocco non se ne era occupato, come non si occupava di niente che riguardava la campagna e gli animali. Ma un giorno ci fu un temporale.

Benché fosse ancora buio, Lucrezia era già partita per andare a lavorare. Rocco stava ancora a letto quando i primi tuoni scoppiarono con un rumore di ferraglia. Un silenzio sospeso immobilizzò tutto per qualche istante, poi ci fu un boato. La grandine iniziò a battere sui vetri e l'acqua che scendeva dal cielo sembrava dovesse allagare il paese.

Rocco fu assalito all'improvviso da un terrore sconsiderato, mostruoso, di mari in tempesta e fine del mondo, piú vecchio di lui e cosí grande che ci stava annegando dentro. Si mise a singhiozzare, con la certezza che nessuno sarebbe venuto a consolarlo.

Ma qualcosa di umido e caldo gli strusciò sulla gamba. Era il muso della piccola scrofa, che lo guardava coi suoi occhietti azzurri, e iniziò a leccarlo teneramente. Rocco si ritrasse, perché non era abituato alle carezze e gli facevano impressione. Ma la bestia continuò. Esitante, Rocco allungò una mano e la toccò. Poi la strinse a sé. L'animale grugní di soddisfazione. Aspettarono insieme, abbracciati, che il temporale finisse, e da quel giorno non si separarono piú.

Rocco non poteva dormire se non abbracciato alla scrofa. Nelle notti d'inverno lei lo riscaldava col suo calore, e qualche volta gli impedí di morire di freddo. Esplorò con lei tutte le gamme della tenerezza. La conobbe piccola grassoccia e rosea come un lattante, la vide crescere, vivace come un ragazzino, raggiungere e superare le sue dimensioni di bambino sottoalimentato, poi diventare enorme, e si affidò al suo abbraccio consolatore, annegò nella sua carne, nel suo tepore e nel suo olezzo.

Anche Lucrezia amava la scrofa, a modo suo. Tornando dalla campagna le preparava il pastone con cura inferiore soltanto a quella che metteva nel fare la minestra per il figlio. Lei non mangiava quasi niente. Guardava la scrofa e la covava con gli occhi.

A febbraio, quando si uccide il porco, Lucrezia andò a parlare con Luigino la Ciminiera, il beccaio, e si mise d'accordo per il giorno dopo. Ma all'alba, quando si svegliò, non trovò il figlio nel letto, né la scrofa sotto il letto. Li cercò invano per tutta la giornata. Chiese aiuto a tutto il paese, andò persino dai carabinieri, pianse e imprecò, percorse la campagna calva chiamando suo figlio a squarciagola, e nessuno, neanche i cani, riusciva a starle dietro. La notte passò senza che li ritrovassero. Già in paese si mormoravano storie di briganti, di diavoli, di zingari, ma Lucrezia non si dava per vinta. All'alba se ne andarono anche Giovanni Mastrandrea e Ciccillo Sarchiella, i piú volenterosi.

Quel giorno c'era un tempo sornione, con nuvole grigie e ovattate che oscuravano il cielo. Non si decideva a piovere. Lo trovò all'inizio del bosco di Salandra, sotto una quercia, abbracciato alla scrofa, mezzo morto di freddo e di paura. Quando Lucrezia lo vide gli diede uno schiaffo che per poco non gli faceva saltare tutti i denti, poi cominciò a baciarlo e non la finiva piú.

La scrofa non fu uccisa. La tennero per farla figliare.

L'anno dopo Rocco andò in prima elementare e iniziò tutto un trambusto. Bisognava fargli fare il grembiule, comprargli la cartella e portare qualche regalo per ingraziarsi il maestro. A Natale il maestro spiegò a Lucrezia i vantaggi che si avevano diventando Figlio della Lupa e poi Balilla: potrà usufruire della cassamutua, delle colonie, dell'insegnamento della ginnastica e del tubercolosario. Ma ci voleva l'uniforme. E Lucrezia i soldi per l'uniforme non li aveva.

Era un giorno di febbraio freddo e ventilato, quando Lucrezia mandò Rocco a cercare la scrofa. Disse che aveva fatto una scommessa con la trivignese che non voleva credere quant'era grossa, e per questo la dovevano pesare. Rocco ci credette. La scrofa, invece, capí.

Per legarla alla stadera di cumba Colino ci si misero in quattro, e fu un'impresa. Si dibatteva con tutte le forze, come se avesse un presentimento, e morse il braccio di Rocco. La cicatrice gli rimase per tutta la vita, una piccola macchia pallida che si gonfiava leggermente nei giorni di umidità. La scrofa pesava un quintale e mezzo, disse Rocco, fiero, a sua madre.

Il giorno dopo dovette andarla a cercare dietro il muro. Non voleva seguirlo. Rocco ricorse a tutto ciò che sapeva di lei per convincerla. La grattò sul collo, a lungo, poi le diede un bacio nell'orecchio che la fece rabbrividire. Infine, ammansita, la scrofa lo seguí.

Quando arrivarono a casa Luigino la Ciminiera stava arrotando i coltelli. Felice e Chinuccio si avventarono sull'animale. La scrofa si dibatté lanciando urla che si sentivano da in mezzo alla Via Nuova. Sembrava un cristiano che invocava aiuto. Rocco assistette alla scena con gli occhi sbarrati, senza osare ribellarsi. La presero e la stesero su un tavolaccio di legno coi bordi rialzati come una bara. All'estremità c'era un buco dal quale fecero uscire la testa. Nel frattempo le legarono le zampe. Rocco stava in un angolo, muto e pallido. La scrofa lo guardava chiedendogli aiuto ma lui non poteva intervenire. Luigino la Ciminiera affondò il coltello nella gola della bestia, che lanciò un urlo lancinante. Glielo torse dentro facendo attenzione a non farla morire subito. Passò mezz'ora prima che uscisse tutto il sangue e finalmente si acquietasse. Lucrezia reggeva sotto un catino. Ca pozz scttà un sagn d'angann! Raccoglieva e rimestava. Ci aggiunse cotto d'uva, fichi secchi, mandorle, latte e zucchero. Era la prima volta che a casa loro si vedeva tanta abbondanza. Lo mise sul fuoco e continuò a rimestare, mentre il composto si riempiva di grosse bolle flaccide.

Intanto Luigino la Ciminiera, insieme a Felice e a Chinuccio presero il calderone che bolliva sul fuoco e buttarono l'acqua bollente addosso alla scrofa. L'aria si riempí di vapore e dell'odore nauseante di setole cotte. Con gli occhi ormai opachi la bestia lanciò a Rocco un ultimo sguardo che lui non dimenticò mai. Luigino e Chinuccio si davano da fare a grattare le setole coi coltelli. A mamma, vai anche tu, aiutali. Rocco non si muoveva. I coltelli viaggiavano rapidamente sul corpo della scrofa. Presto diventò di un rosa tenero come una femmina nuda. L'avevano sistemata meglio nella sua bara. Quando ogni centimetro del suo corpo fu diventato rosa chiaro, l'alzarono e la appesero a testa in giú all'asse della porta. Con un unico colpo di coltello Luigino la Ciminiera la squartò dall'inguine alla gola. Manovrò rapidamente all'interno. Ne estrasse il fegato, i polmoni, il cuore. Smatassò le viscere con l'agilità di un giocoliere. Lucrezia le svuotò, le lavò e le lasciò a bagno con le bucce d'arancia.

Intanto il sanguinaccio era fatto, si era raffreddato e si era solidificato. Lucrezia ne mise un po' in un piatto. Lo diede da assaggiare a Luigino la Ciminiera, a Felice e a

Chinuccio. E tu figlio mio non lo prendi? Rocco non si muoveva. Prendi. A mamma, il sanguinaccio. Non dici niente? A mamma. Il sanguinaccio. Lucrezia prese un cucchiaio bello pieno e lo infilò nella bocca di Rocco. Rocco sentí sotto il palato la consistenza molle e granulosa, il sapore dolciastro col retrogusto di sangue. Gli andò giú viscido nelle viscere. Le torse. Gliele fece arrivare fino in gola. Il sapore nauseabondo lo invase tutto. Lo stomaco gli salí alle orecchie. E vomitò, vomitò. Vomitò anche l'anima.

# Capitolo undicesimo

Chi t'ave affascinate? L'uocchie, la mente e la mala volontà. Chi t'adda sfascinà? Lu Padre, lu Figliolo e lu Spiritu Santo. Chi t'ave affascinate? L'uocchie, la mente e la mala volontà. Chi t'adda sfascinà? Lu Padre, lu Figliolo e lu Spiritu Santo. Chi t'ave affascinate?

Credo in dio padre onnipotente creatore del cielo e della terra, e in Gesú Cristo suo unico figlio....

Padre nostro che sei nei cieli, sia santificato il tuo nome, venga il tuo regno, sia fatta la tua volontà...

Salve Regina, madre di misericordia, vita, dolcezza speranza nostra...

La masciara sbadigliando e lacrimando andò a prendere dalla dispensa nove pizzichi di sale e tre tizzoni accesi dal focolare. Versò tutto in un bacile d'acqua, ci immerse dentro la mano sinistra e tracciò una croce sulla fronte di Rocco.

Quando tutto fu finito Lucrezia le diede il galletto schiamazzante che aveva portato a regalare, prese per mano Rocco e se ne andarono. Erano due anni che giravano tutte le masciare di Salandra, di Tricarico, di Valsinni e del paese che non si può nominare. Niente. Nessuna riusciva a togliergli il malocchio anche se riconoscevano tutte che c'era fascinatura. Un fascino cosí potente che non se ne andava. Chi l'aveva fatto? C'era chi diceva che era stato un maschio, perché lo sbadiglio arrivava al Pater, chi una femmina, perché arrivava all'Ave Maria, e una indovinatrice di Genzano si arrischiò a dire che era stato un prete, perché aveva sbadigliato al Gloria. Lucrezia guardava tutti con sospetto, uomo, femmina, prete o monaca che fosse, convincendosi ogni volta che era stato proprio quello là a invidiarle il figlio, e lo malediceva in cuor suo.

Erano due anni che Rocco non parlava. L'aveva mandato a scuola, dove aveva imparato a scrivere, ma non spiccicava una parola. Capiva tutto, faceva tutto, le aste, l'alfabeto e poi le parole intere, metteva gli accenti nei punti giusti, le virgole dove bisognava metterle, ma dalla bocca non gli usciva neanche una sillaba. Avoglia che lei provava anche nel sonno, a svegliarlo all'improvviso. Non aveva mai piú aperto bocca. E le masciare si prendevano quel poco che aveva. Il gardiello giovane giovane. Il cestino di cozzauffole. Le sorbe. Tutto loro si prendevano. E strofinavano la fronte di Rocco, pronunciavano incantesimi, assorbivano il malocchio fino a cadere addormentate. Niente. Era cosí potente che non se ne andava. Una trappola della malasorte. Ca pozzn scttà u sagn d'angann. Soltanto mio figlio avevo, e anche quello...

Era rimasto solo zí Giuseppe, ad Albano. Lucrezia non ci era ancora andata perché era lontano, e arrivarci era difficile. Ci andò col figlio in un pomeriggio d'agosto, con un passaggio in traino fino a Tricarico e poi a piedi. Erano scesi verso la valle del Basento, fra i nidi delle aquile e degli avvoltoi. Avevano superato il Ponte della Vecchia, ormai bianchi di polvere, con le labbra spaccate dal sole e i piedi piagati. In uno slargo sullo strapiombo c'era una casa cosí vecchia che sembrava dovesse cadere in quel momento. Dentro era buio.

Lucrezia distinse a stento un uomo i cui lineamenti, man mano che gli occhi si abituavano all'oscurità, apparivano sempre piú mostruosi. Aveva il naso grosso e bitorzoluto, che si espandeva in tutte le direzioni. Gli occhi piccoli, azzurri, brillanti e limpidi. Le orecchie enormi, dalle quali spuntavano ciuffi di peli. Le labbra, invece, erano piene e ben disegnate, come quelle di una bella ragazza.

Si rivolse subito a Rocco. Gli mise una mano sulla testa e guardò la madre con aria interrogativa. Lucrezia trasalí al pensiero che avesse indovinato subito. Si ricordò che qualcuno le aveva detto che lo zí Giuseppe era nato prima di Gesú Cristo. Poi piano piano il battito del suo cuore si calmò, mentre si ripeteva che era amico della povera gente, e non le avrebbe chiesto soldi. Ognuno dava quello che poteva.

Giuseppe prese una carta da un mazzo, gliela mise in petto, poi la ritirò e la osservò a lungo. Lucrezia lo lasciò fare, apprensiva. Giuseppe rimise la carta nel mazzo. Mescolò, poi la fece tagliare. Le carte erano diverse da tutte quelle che Lucrezia aveva mai visto. Su una c'era un cane, su un'altra una vampa di fuoco, su un'altra tre cuori. Non è fattura. È 'mbasciata. Fece il segno della croce sulla fronte di Rocco, gli fece aprire la bocca e gli fece il segno della croce anche sulla lingua. Poi si mise un dito in un orecchio e restò cosí a lungo, in ascolto. Disse a Rocco di uscire e di aspettare fuori.

Il figlio e la madre sono legati, disse a Lucrezia.

Prese un filo di lana che si arrotolò intorno agli indici e chiese a Lucrezia di tagliarlo coi denti. Le porse uno specchio e le diede da fare la radiografia. Lucrezia moriva di vergogna, ma si fece forza per suo figlio. Rocco osservava tutto da un buco della porta. Vide sua madre aprirsi il vestito e riflettere nello specchio il seno bianco, giovane e fresco, mentre tutto il resto sembrava decrepito. Vide le mani di zí Giuseppe su sua madre, scostarle i vestiti, ed emergere tutto quel corpo giovane bianco e sodo, il sedere rotondo che un tempo aveva incantato suo padre, la pancia con l'ombelico ben disegnato, e la faccia e le mani da vecchia. Rocco restò abbagliato.

Aprí di scatto la porta e si affacciò all'interno. Il contrasto dell'ombra con la luce di fuori gli impediva di vedere. Si avventò su Giuseppe tempestandolo con i suoi pugni da bambino. Basta! Basta! – gridava. Poi si rivolse alla madre. Andiamo via, disse, in perfetto italiano. Lucrezia si tirò su il vestito e cadde in ginocchio baciando i piedi di zí Giuseppe, bagnandoli con le lacrime, come Maddalena fece con Cristo. Figgh mí, si avventò su Rocco e gli pizzicava le carni con le mani callose, riempiendolo di baci voraci. Rocco si sentiva morire dalla vergogna. Corse uno sguardo fra lui e zí Giuseppe, pieno di rivalità. Nonostante Rocco fosse soltanto un bambino, aveva occhi adulti, stanchi e gravi, mentre quelli di zí Giuseppe brillavano di malizia infantile e vigore adolescenziale.

Come compenso, Lucrezia diede a zí Giuseppe la cosa piú preziosa che possedeva, la treccia dei capelli che si era tagliata a sedici anni, il giorno che si era sposata. Erano capelli neri spessi come corde, che sfuggivano dalla treccia e pungevano le dita. Zí Giuseppe accarezzò la treccia pesante nel palmo della mano, e lí dentro sembrava un topo. Poi se ne andarono.

Rifecero il cammino al contrario, questa volta senza nessun passaggio. Camminarono due giorni e due notti prima di arrivare a casa. Si fermarono a bere nelle acque del Basento, a riposarsi all'ombra delle querce, si nutrirono di bacche, di fiori di acacia, di cardi. Il pugno di Lucrezia intorno alla mano di Rocco era di ferro. A volte gli baciava le labbruzze benedette. Oh figgh mí, ce aggh patut, t'avevan nvidiat, t'avevan affatturat, ca pozzn sctt vlen, figgh mí, famm sent com parl bell. Sí, mamma, adesso parlo. *Oh Valentino vestito di nuovo come le borchie del biancospino porti i piedini segnati dal rovo porti le scarpe che mamma ti fé*. C'ha ditt figgh mí, ca non t' capisc. *Io t'amo o dolce Italia, patria gloriosa e cara, con nuova gioia l'anima meglio ad amarti impara...* Ca com parl, figgh mí, ca ce sta discenn? E continuavano cosí, lei in dialetto, lui nell'italiano aulico che gli aveva insegnato il maestro fascista a forza di bacchettate sulle mani. Ce disc figgh mí?! Ce disc?

# II

I resti dell'uomo di Cro Magnon non si erano ancora putrefatti nelle tombe semicircolari sulla Murgia, in quella parte della Basilicata che si trova circa cento chilometri all'interno delle coste pugliesi, che i primi insediamenti umani si erano già stabilizzati nelle grotte a picco sulla Gravina. Qualche secolo dopo i Sassi di Matera erano la grande capitale troglodita del mondo contadino.

Nelle sue case scavate nel calcare si erano avvicendati popoli italioti e derelitti di tutte le razze: profughi albanesi, stiliti greci, eretici, comunità giudaiche in fuga, che una volta annidati in quello che sarebbe stato definito un dente cariato, avevano prontamente perso il ricordo delle loro terre e anche dei motivi che li avevano spinti ad abbandonarle, amalgamati da un unico denominatore comune: la fame. Matera gestiva la fame proveniente dalle campagne circostanti, era il cuore di un circolo vizioso di mezzadri spossati che facevano avanti e indietro dalle campagne ad alimentare un'economia entropica. Tutt'attorno i paesi di Grassano, Miglionico, Ferrandina, Montescaglioso, e Grottole, se ne stavano semplicemente appollaiati sulle colline franose, privi di storia, a rodersi di fame e basta.

# Capitolo dodicesimo

Quando Albina ebbe 89 anni e Costanza 90, quest'ultima le chiese di incontrarla. Non si erano piú parlate dal giorno in cui Costanza era scappata col prete, malgrado vivessero in un paese che contava non piú di 3000 abitanti. Le volte in cui Albina l'aveva intravista da lontano si era affrettata a cambiare strada, o a infilarsi in un portone, ma era successo di rado perché Costanza, servita e riverita da figli e nuore, non aveva molti motivi per uscire di casa. Quella volta invece, nonostante fosse la maggiore, fu lei che si mosse per far visita alla sorella.

Era diventata molto grassa, ma si muoveva con disinvoltura. Sprizzava salute nella faccia di luna piena, e aveva la stessa pancia a chiglia di barca di Albina.

Albina l'aveva ricevuta nella camera da letto di Candida. Non fecero il minimo accenno al motivo per cui non si erano viste per quasi un secolo. Con calma olimpica Costanza le aveva chiesto e dato notizie di figli e nipoti, e di coperte realizzate per la loro dote. Prima di andarsene Costanza aveva detto alla sorella che le aveva fatto piacere trovarla cosí bene.

Non aveva nemmeno sceso le scale, che Albina aveva iniziato a lamentarsi. Un mal di testa feroce. Un dolore strano. Una debolezza. Un mancamento. Stava per morire, era sicuro. L'invidia. La sorella. La sorella l'aveva invidiata. Hai sentito come ha detto? Come sta bella. Mmmmm. Hai visto come mi ha guardata? Mmmmmm. Candida dovette imporsi per non portarla d'urgenza all'ospedale di Matera, dove Albina era certa di arrivare in fin di vita.

Fu Concetta che morí, invece, pochi giorni dopo, una mattina di primavera.

Si era alzata prima del solito, senza far rumore, come se avesse paura che qualcuno potesse trattenerla. Nella casa insolitamente silenziosa si sentiva soltanto qualche grugnito, qualche lamento, e il respiro pesante dei dormienti. Aveva strascicato i piedi fino alla cassa sotto l'arcuofolo. Aveva tolto tremando la coperta di puntina, poi quella di cretonne odorosa di polvere che c'era sotto. Era riuscita a sollevare il coperchio, non si sa come, perché ormai era talmente vecchia che le costava fatica anche portarsi il cucchiaio alla bocca. Aveva scostato il telo di lino immacolato. Sotto c'era il vestito che aveva preparato molti anni prima e ogni tanto andava a guardare. Nero, di roba buona.

Lo indossò con la stessa emozione con cui avrebbe indossato il vestito da sposa, che per tutti quegli anni era rimasto chiuso nell'armadio, dopo che il matrimonio con don Francesco era saltato.

Quella mattina si sentiva bene come non le succedeva da tempo.

Un po' alla volta Concetta aveva smesso di interessarsi. Ai soldi, ai figli, ai nipoti e ai pronipoti. Confondeva i nomi e ignorava gli onomastici. Troppi nomi, troppe cose. Pensava al cassetto di marmo rosa e nero, nella tomba di famiglia, che nessuno si stava godendo. Pensava a don Francesco che l'aspettava nell'aldilà e sicuramente aveva già perso la pazienza.

Si era stesa sul letto con le mani incrociate sul ventre, e addosso tutti i gioielli che non si era piú tolta dal giorno del ritrovamento dei barili. La sotterrarono addobbata come la statua dell'Immacolata il giorno della processione, alla faccia della fame che aveva sofferto da bambina. Versarono per lei lacrime dolci come la pioggia di marzo che venne a innaffiare la terra il giorno del suo funerale.

Mimmo, che era il suo nipote preferito, lo seppe soltanto una settimana dopo, quando sua madre andò a fargli visita. Era fuori casa da alcuni anni. Studiava a Matera, dove stava a pensione dalla vedova Marietta, insieme a Rocco. In una casa con la facciata di tufo che sovrastava i Sassi.

Dalle sue strette finestre si poteva vedere la vita dei vicinati, l'amalgama di persone e animali, la gente che cacava acquattata dietro i traini, e a volte là dietro si accoppiava.

Appena arrivato, Rocco una volta si era perso lí dentro, e aveva vagato salendo e scendendo scale, troppo diffidente per avvicinarsi a qualcuno e chiedere, finché la vista del castello non gli aveva fatto ritrovare l'orientamento. Adesso né lui né Mimmo ci andavano mai, e distoglievano lo sguardo quando ci passavano vicino, come se fossero un focolaio di infezione e potessero rimanerne contagiati. Avevano imparato a mentire, quando qualcuno chiedeva dove abitavano, perché i Sassi erano una vergogna dalla quale bisognava prendere le distanze.

La vedova Marietta aveva otto figli, che si accalcavano in una delle stanze della casa insieme alle galline. Nell'altra prendeva a pensione gli studenti. Ne teneva sempre almeno quattro o cinque, e con quello che rosicchiava sulle loro razioni di cibo riusciva a non far morire di fame i suoi figli.

Rocco e Mimmo se la passavano meglio degli altri grazie ai pacchi che Mimmo riceveva da sua madre, dividendo generosamente le cibarie con l'amico. Anche Rocco riceveva provviste da casa. Una volta ogni due settimane Lucrezia si faceva a piedi la strada da Grottole a Matera per portare al figlio l'uovo da bere, la pignatella di lumache con l'origano, i passeri arrostiti e i frutti rimasti sugli alberi dopo la raccolta.

Gli raccomandava di nascondere la roba e mangiarsela

senza farsi vedere da nessuno. Sottolineava la parola nessuno, e guardava Mimmo.

Lucrezia raccontava a Rocco quante ne aveva dovute fare per portargli quella roba, tutta la strada fino alle campagne sotto sole e sotto pioggia, e poi aggiungeva di scivolate al guado del fiume, voci che aveva sentito attraversando i campi di notte, giurava e spergiurava, le avevano tirato la gonna, certi uomini che sembravano tornati dall'altro mondo... E poi impreviste generosità di padroni che la portavano in palmo di mano perché di fronte alla fatica lei non si tirava indietro e prendeva metà delle altre e loro la tenevano in considerazione come una di famiglia. Aveva rispolverato dai tempi della prima giovinezza l'arte della bugia, che perfezionava di giorno in giorno, riportando cose che a suo dire aveva visto o sentito, e piú andava avanti piú lei stessa non riusciva a distinguere la realtà dalle sue invenzioni. Trascorse i suoi ultimi anni in uno stato di continua allucinazione, in compagnia di tutti i fantasmi della sua vita, fra le mura bianche di Villa Clara, l'asettica casa di riposo dove Rocco l'aveva portata pensando di darle un po' di serenità.

Appena Lucrezia andava via, per Rocco iniziava il dilemma. In genere lui e Mimmo dividevano tutto, ma cosí avrebbe disobbedito a sua madre. Gli sembrava che qualunque cosa avesse fatto avrebbe tradito qualcuno. Alla fine Rocco offriva il suo cibo a Mimmo, che lo accettava solo per non offenderlo e segretamente se ne disfaceva, mentre a Rocco rimordeva la coscienza.

Rocco e Mimmo si erano incontrati in seminario, dopo aver trascorso l'infanzia negli stessi vicoli. Erano diventati inseparabili.

Mimmo era venuto a Matera a undici anni, per ubbidire al voto fatto da Candida prima che lui nascesse, e aveva un tarlo che lo accompagnava sempre: non si era voluto far prete. Ci pensava tutte le notti, assediato dal senso di colpa con cui avevano fatto in tempo a familiarizzarlo, crogiolandosi nel dispiacere e nell'indegnità del suo tradimento, e invocando un dio in cui non riusciva a credere affinché lo salvasse.

Prima di venire a Matera, pur sapendo quale sarebbe stato il suo destino, non se n'era dato molta pena. Candida faceva grande affidamento su di lui: nei suoi piani per i figli, che erano estremamente precisi, erano previsti un prete, un professore e un medico, e non si sognava nemmeno che potessero deluderla.

Che Mimmo fosse ingovernabile non la preoccupava. Da quando aveva imparato a camminare, il suo primogenito trascorreva le giornate in giro per il paese a strapparsi i pantaloni arrampicandosi sugli alberi, a farsi rubare le scarpe togliendosele per guadare i ruscelli o per il gusto di camminare a piedi nudi. Certe volte lui e Rocco si erano incontrati mentre spingevano con la canna una ruota di bicicletta, ma non si può dire che fossero amici. Spesso avevano fatto parte della stessa banda che distruggeva gli orti, rubava la frutta dagli alberi, intrecciava le code dei cavalli, che poi tutti pensavano che fosse stato il Monachicchio. Candida invocava il Signore perché il segno della vocazione di Mimmo continuava a tardare. Quando venne il momento interessò don Arcangelo e Mimmo si ritrovò in seminario.

Non si era preoccupato fin lí di chiedersi cosa volesse dire esattamente quella parola che sentiva ripetere da quando aveva imparato a parlare. Lo scoprí tutt'a un tratto, quando ci si trovò dentro. Le guance dei preti che sembravano di cera. I loro occhi liquidi e spenti. Le mani e la voce tremolanti.

Sotto le volte dove l'aria stagnava custodí a lungo il suo innominabile segreto. Lo minacciarono delle cose piú terribili se ne avesse parlato a qualcuno. Di notte i diavoli sarebbero venuti a prenderlo e se lo sarebbero portato via, l'avrebbero punto, infilzato, arrostito vivo, e quant'era brutto l'inferno, neanche se l'immaginava. Lui stava zitto, non diceva niente a nessuno, tanto meno a sua madre che veniva a trovarlo una volta al mese, ma quel peccato infame, il peggiore di tutti, era scolpito nella sua anima e lí dio certamente lo vedeva. Non aveva fede.

Padre non credo. Non credo in dio padre onnipotente, creatore del cielo e della terra. La volontà del Signore mi sembra uno di quegli scherzi che i ragazzi fanno ai contadini creduloni. Dieci Pater, cinquanta Ave Maria, l'Atto di dolore ripetilo cento volte, finché non ti entra nella testa e nel cuore. Dio signore perdonami, perché non credo in te, perché dubito, perché la mia anima è piena di domande. Puniscimi, fulminami, ma non mi perdere.

Alla fine del terzo anno non ne poteva piú dei diaconi appostati dietro le tende, del divieto di ridere durante la Quaresima e dei muratori che si grattavano le palle quando li vedevano passare, cosí piccoli e tutti vestiti di nero.

Mentre serviva messa, una domenica mattina, iniziò a bestemmiare la madonna e tutti i santi, prima piano, fra i denti, poi sempre piú forte, con la voce che diventava chiara e squillante come quella di Egidio u Scettabann, attingendo al fornito repertorio che il nonno Vincenzo insegnava a sua madre quand'era piccola e sottolineando ogni nuovo epiteto con un'oscillazione del turibolo: dio cane, dio maiale, madonna vacca, troia svergognata. Un ragazzo seduto al primo banco si afflosciò e svenne, non si seppe mai se per le sue parole blasfeme o per gli effluvi asfissianti dell'incenso di prima mattina a stomaco digiuno.

Candida, quando la mandarono a chiamare per metterla al corrente dell'accaduto, restò per un attimo senza parole, come colta da una paresi facciale, di fronte allo sguardo accigliato di padre Virgilio e padre Mario, che inizialmente presero il suo silenzio per contrizione ed erano già disposti a perdonare il sacrilegio in seguito a un'opportuna penitenza, quando le scappò un gemito, un soffio quasi, come un pallone che si sta sgonfiando, e sotto gli occhi inorriditi dei due sacerdoti che non conoscevano la sua storia, le sue abitudini e le dure prove a cui l'esistenza l'aveva sottoposta da bambina, scoppiò in una risata incontenibile.

Mimmo di questo episodio non seppe mai nulla. Fu espulso, e portò con sé il rimorso per buona parte della vita.

Rocco in seminario ci era andato perché era l'unica possibilità che aveva di istruirsi. I preti pagavano gli studi ai ragazzi poveri che sentivano la vocazione, e cosí per ordine di sua madre Rocco aveva dovuto fingere di averla. Il fatto è che lui la vocazione ce l'aveva davvero.

Gli era venuta per sbaglio.

Lucrezia non si era mai preoccupata delle cose di chiesa. A parte la processione del venerdí santo, cui prendeva parte scapellata e a piedi nudi per espiare i peccati che faceva tutto il resto dell'anno, il modo piú frequente che aveva di rivolgersi a dio era tramite le bestemmie, in ricordo del vecchio conto in sospeso che aveva con lui.

Andava nei campi anche di domenica e soldi per le elemosine non gliene avanzavano. Rocco non aveva mai frequentato il catechismo e non faceva le preghiere prima di andare a dormire, quand'era piccolo. Dopo la terza media però, dovendo prepararsi per gli esami di ammissione, sua madre l'aveva mandato da padre Giuseppe, a Grassano.

Ci andava tre volte la settimana a prendere ripetizioni di latino e in cambio gli lavava i piedi e sbrigava qualche commissione. Lucrezia si sdebitava come poteva.

Fra una regola di grammatica, una tirata d'orecchi e una carezza, padre Giuseppe aveva fatto conoscere dio a Rocco. Dio padre onnipotente. Un padre che argina la madre, la madre onnipotente. Rocco si era presto affezionato a quella misteriosa figura, interessandosene molto di piú che al latino. Ma neanche dio fu piú forte di sua madre.

Come Candida anche Lucrezia aveva idee precise sulla vita di suo figlio, solo che le sue erano opposte. Rocco doveva diplomarsi e diventare maestro. Poi sposarsi. Quando sarebbe stato maggiorenne, coi soldi che aveva lasciato la buonanima avrebbe comprato un terreno e lei ci avrebbe costruito sopra la casa per lui e per i suoi figli, che si augurava numerosi e tutti maschi.

Coltivando la sua vocazione impossibile, Rocco prese sempre di piú l'abitudine di ritirarsi in un angolo nascosto della sua mente, dove non lo raggiungevano i fatti inspiegabili del mondo, l'amore vorace di sua madre, le bugie che era costretto a dire, le cose che gli altri si aspettavano da lui. Non parlava con nessuno. L'unico con cui fece amicizia fu Mimmo. Accomunati dalla necessità di tradire se stessi o le persone che piú amavano, titolari di un destino che avrebbero voluto scambiarsi, trovavano conforto condividendo le loro incertezze.

Insieme, un giorno di libera uscita, entrarono per caso in una libreria che vendeva libri usati. La letteratura non li aveva mai interessati particolarmente, ma un volumetto con la copertina consunta attirò la loro attenzione a causa del titolo. Si immaginarono una storia avvincente di delitti. Quando lo diedero al libraio per pagarlo, quello li guardò con un sorrisetto, sul momento non capirono perché. L'autore si chiamava Dostoevskij. Il libro *Delitto e castigo*.

Da allora ci tornarono tutte le settimane. Rivendevano un libro e ne compravano un altro. Per dare la differenza, Rocco vendeva le uova che gli portava sua madre.

Conobbero cosí un mondo che non avevano mai neppure immaginato, spesso pieno di sofferenze non meno di quello in cui vivevano, ma dove c'era sempre una speranza, o un significato, o una possibilità di cambiamento. Era un concetto per loro completamente nuovo, che apriva infinite prospettive e nello stesso tempo li privava di ogni sicurezza. Si inoltravano nell'adolescenza come treni deragliati, scavandosi intorno quella distanza che li avrebbe separati per sempre dal resto del mondo, o perlomeno del loro mondo.

Conobbero l'Inghilterra di bambini ladri e derelitti, l'America di titaniche lotte con la natura, Parigi, meta ambita dei loro tormentati nobili russi e patria di certi pruriginosi romanzetti che li avevano iniziati ai misteri del sesso. Fecero il patto che un giorno ci sarebbero andati anche loro.

Una mattina alle sette, in un giorno di cielo livido, Gioia arrivò alla Gare de Lyon. Era la prima volta che vedeva Parigi. Il movimento sulle banchine, e poi la Senna, il Pont Neuf, i boulevards con la loro luce grigia e i rumori attutiti, l'odore di burro dei croissant, le insegne di legno colorato dei negozi, la catturarono come lo scenario di un sogno che la stava aspettando da sempre.

Rocco rimase in seminario piú a lungo di Mimmo. Ogni anno veniva bocciato, perché se don Giuseppe gli aveva infuso l'amore per il padreterno, l'aveva lasciato a digiuno delle basi di grammatica. E poi era cosí taciturno che parlare durante le interrogazioni gli costava fatica. Aveva dalla sua solo l'ostinazione. Fece l'esame del primo anno e fu bocciato, poi due anni in uno e fu bocciato, poi tre anni in uno e fu bocciato, e l'ultimo anno, quando sua madre gli intimò di lasciare il seminario, raccolse tutto il suo coraggio per dirle di no e gli venne la tubercolosi. Passò diversi mesi in sanatorio, ma sopravvisse. Quando fu guarito non poteva piú tornare fra le mura gelide del seminario, cosí si arrese, salutò i preti e Gesú Cristo, e prima di tentare il tutto per tutto, quattro anni in uno, raggiunse Mimmo che stava a pensione.

Alla fine, come Napoleone, con cui aveva in comune la statura e l'incisività, dopo tutte quelle battaglie perse, Rocco vinse la guerra. Lui e Mimmo si diplomarono lo stesso giorno.

Candida li portò a mangiare in una trattoria e non disse nulla al figlio del voto che non era stato soddisfatto. Almeno non ci sarebbe stato un altro prete spretato in famiglia, si era consolata, e per lui aveva già altri piani, solo che Mimmo non lo sapeva e si rodeva nel segreto tormento che il padreterno prima o poi avrebbe chiesto ragione del suo tradimento, a lui o a qualcuno dei suoi cari. Un pensiero da cui lo salvò soltanto, piú tardi, il materialismo storico.

Dopo il diploma, Rocco fece il concorso magistrale per Reggio Emilia, perché gli avevano detto che lí c'erano piú posti. In effetti vinse la cattedra, prese la tessera, giurò fedeltà al partito nazionale fascista e partí.

# Capitolo tredicesimo

Pulizia. Era quello che Alba desiderava innanzitutto. Gli escrementi degli animali per strada le davano il volta-stomaco, e cosí le unghie giallognole e spesse dei cafoni, perennemente bordate a lutto, il dolce odore di stallatico che emanavano le donne, i bambini a culo nudo col moccio al naso, i cani rognosi, i porci che percorrevano il paese con le placide carni ballonzolanti, le galline sotto i letti, i greggi di capre che tornavano la sera dalle campagne lasciando a lungo l'aria pregna del loro odore, i grappoli di mosche sopra i fichi messi a seccare. Alba provava disgusto per il fiato pesante che le donne le alitavano in faccia, e per il cibo, che si putrefaceva nello stomaco e diventava merda.

Fin da quando era piccola si era ritratta con orrore ogni volta che qualcuno tentava di toccarla, di accarezzarla o ancora peggio di baciarla. Si rifugiava negli angoli come un piccolo animale braccato, e quando non c'era altra via di scampo, mordeva. Lasciava sulle braccia segni circolari a forma di orologio, con le impronte dei piccoli denti acuminati imperlate di sangue. Tanta era la sua riluttanza a lasciarsi toccare, che non era mai stato possibile tagliarle i capelli, né intrecciarglieli, come si faceva con le altre bambine. Li portava lunghi fino alle caviglie, come un mantello nero e ondulato nel quale si nascondeva. Lí in mezzo brillavano solo gli occhi, neri e grandissimi nel viso minuto. Era magrissima. Oltre a non lasciarsi toccare, infatti, Alba rifiutava il cibo.

Non totalmente. Ingeriva abbastanza da assicurarsi la sopravvivenza. Tre acini d'uva, uno spicchio d'arancia, due ceci. Mangiava con disincanto ed eleganza, dopo aver osservato a lungo ciò che stava per mettersi in bocca. Solo quando l'esame era stato completato si decideva a introdurre nella cavità orale quel corpo estraneo. Lí lo rigirava pigramente con la lingua, mentre gli occhi assumevano un'espressione indifferente, e aspettava che i succhi salivari lo corrodessero. Lo girava e lo rigirava, di qua e di là, come un coccodrillo che dopo aver ingerito una preda intera aspetta pazientemente che i succhi gastrici facciano il loro lavoro, compunta come se avesse in bocca non un acino di uva spina, ma un bue con tutte le corna. Poi si decideva ad azzannare. Un colpo netto degli incisivi, che inizialmente divideva in due. Seguiva un'attesa, poi un altro colpo che divideva nuovamente. Odiava usare i molari, provava disgusto per il cibo ridotto in poltiglia.

Queste sue maniere le avevano creato intorno un'ammirazione che la circondava come una campana di vetro. Protetta dall'esterno, coi suoi vestitini lindi e la pelle bianchissima, Alba si macerava in una solitudine trasognata, degnandosi a stento di poggiare a terra la suola delle scarpe ed evitando con cura l'amicizia e l'amore.

Contava. Gli scalini che saliva per arrivare a casa. I passi che bisognava fare dalla piazza alla Via Nuova, le stelle nelle notti di primavera. Contava i giorni che aveva vissuto, e quanti giorni, minuti e secondi avevano vissuto suo padre, sua madre e tutti i suoi fratelli messi insieme. In quel mondo regolare si sentiva a suo agio. Rapporti senza residui e imperfezioni. Puliti.

Quando andava alla bottega di Colino stupiva tutti. Mentre i fratelli giocavano con gli azzurri cristalli del solfato di rame e si prendevano la foca rotolandosi in mezzo alle fave, lei faceva calcoli complicatissimi e tutti la consideravano un essere superiore con attributi quasi magici.

Non aveva amichette né ne desiderava. Non giocava a

fare i lallalú coi noccioli delle albicocche, sputando e stro-
finandoli sulla pietra finché non si foravano. Non razzolava nel terriccio cercando le pietre brillanti. Non ascoltava
le storie che raccontava sua madre, che incantavano tanto a lungo i suoi fratelli. L'unico affetto che coltivava era
quello per l'asina Filomena. Andava a trovarla tutti i giorni e si tratteneva con lei una mezz'ora, tornando da quelle visite serena e soddisfatta. Quando se ne usciva con
qualcosa che non sapeva come giustificare rispondeva immancabilmente che gliel'aveva detto l'asina Filomena.

Inizialmente, Candida non aveva fatto troppo caso a
tutte queste stranezze, occupata com'era con i maschi di
casa, il suo sposo adorato e l'ultimo nato prima di lei, Francesco, un bambino delizioso tutto sorrisi e fossette, che
aveva portato vestito da femmina ben oltre i tre anni. A
volte, però, aveva l'impressione che Alba non le apparte-
nesse. Le sembrava di aver semplicemente prestato il suo
corpo per farla nascere, come certe contadine che partori-
vano figli per le signore che non ne potevano avere. Solo
piú tardi iniziò a sospettare che nessuno dei figli le appar-
tenesse davvero, e aveva allevato in casa sua una piccola
colonia di estranei che le somigliavano soltanto un po'.

Certi giorni di nebbia, emergendo dal mal di testa,
Candida ripensava alle magagne di famiglia, la zia, il prete, il voto rotto, e non sapendo che altro fare si affrettava a raddoppiare le offerte alla statua della madonna ad-
dolorata che girava di casa in casa col coltello conficcato
nel cuore.

Ma poi tornava il sole. Mentre stendeva il bucato, Candida rispondeva ai saluti di quelli che passavano sotto la
loggia e il sogno di don Francesco tornava a splendere come un paesaggio dopo il temporale. Una dettagliata e ma-
gnifica visione del futuro, di cui volenti o nolenti erano
protagonisti i figli, i nipoti e i pronipoti.

L'aveva ereditato proprio lei, quel sogno, all'insaputa
di tutti, insieme a un neo sulla spalla, ai barili di ducati ar-

rugginiti e a tre frutti di cera che teneva sul buffet, e si dedicava alla sua realizzazione con la cocciutaggine e la leggerezza che metteva in ogni cosa. Dal dagherrotipo della sala da pranzo, sopra il divano, don Francesco Falcone incoraggiava i suoi sforzi, o cosí le sembrava, e terrorizzava i bambini che osavano avventurarsi lí dentro con le occhiate oblique dei suoi occhi taglienti.

Un giorno, verso la fine dell'adolescenza, mentre si aggirava nei sogni dei suoi genitori in cerca di un'uscita, Gioia iniziò a capire che erano contenuti in sogni altrui sempre piú grandi e piú antichi, che la circondavano, e le sembrò di navigare verso un'America improbabile, in un mare che non finiva piú.

Per quanto riguardava Mimmo, ora che era libero dai suoi doveri religiosi Candida aveva deciso che avrebbe continuato gli studi. Se non voleva essere prete sarebbe stato almeno laureato. Non la fece desistere neanche il furto che subirono alla vigilia della fiera, quando i magazzini erano pieni di roba che bisognava ancora pagare ai fornitori.

Successe cosí ciò che insieme alla politica Colino e Candida temevano di piú: si riempirono di debiti, anche se Colino non lo seppe mai.

D'altra parte, non era l'unica cosa che ignorava.

Dopo poco tempo dal suo matrimonio Candida era arrivata ad alcune conclusioni, di cui una era che l'amore è fatto di bugie. Mentiva a Colino su molti dettagli della vita quotidiana, a se stessa su alcuni sentimenti e ai figli su tutto, perché ai figli bisogna mostrare le cose non come sono ma come dovrebbero essere, dato che come sono lo scopriranno da soli e di tempo davanti ne hanno anche troppo.

Candida disse al marito che aveva messo dei soldi da parte per l'istruzione di Mimmo, e non voleva toccarli se non per quello. Colino acconsentí, dopo che Candida gli ebbe gridato un paio di volte: l'Università...

131

In fatto di figli, avevano sempre avuto visioni opposte. Senza troppo pensarci, Candida aveva escluso dalle sue aspettative per loro un dettaglio che le era parso trascurabile, ciò che a lei era toccato come un incidente di percorso. La felicità. C'erano cose piú importanti. Migliorare e distinguersi, per esempio, sempre e in ogni circostanza.

Colino pensava esattamente il contrario. Meglio restare confusi nella massa, perché le prime cime a cadere sono quelle che sporgono. Non capiva chi avesse messo in testa quelle idee a sua moglie, e perché i ragazzi non potessero fare la cosa che a chiunque sarebbe parsa piú logica: dargli una mano nel negozio. C'era da fare per tutti. Caricare e scaricare il concime, le fave, il grano. Andare a prendere i disinfettanti, raccogliere le uova per il paese, e provò a farli lavorare con lui fino a quando Mimmo si prese la foca scaricando le fave e dovette sostenere il suo primo esame all'Università coperto di bolle rosse.

Ma ne tieni sentimento? – si incazzò Candida. È quasi professore, tuo figlio, altro che fave! Fu l'unica volta che litigarono. Da allora in poi Colino lasciò sempre partita vinta alla moglie in fatto di educazione. Lui si limitò a ricevere tutte le sere il bacio dei figli in ordine di anzianità, la domenica a mettere in fila le loro scarpe e lucidarle fino a farle brillare, e una volta al mese a pesarli sulla bascula per misurare quant'erano cresciuti.

Anziché indebolirsi, il loro matrimonio si nutrí di tutte queste differenze e degli sforzi e degli imbrogli che tutti e due facevano per superarle.

La verità è che Candida non aveva da parte nemmeno un centesimo per gli studi di Mimmo.

E come avrebbe potuto? Colino non si rendeva conto di quanti soldi servissero per mandare avanti la famiglia. Non c'era mai bisogno di niente, a sentirlo.

Sua moglie aveva sempre dovuto lavorare d'ingegno.

Si erano appena sposati quando Colino comprò all'ingrosso un pezzo di zeffirr che costava un po' piú caro e non si vendette. Da quella stoffa Candida gli fece fare una camicia, che sostituí con una identica quando fu consumata. Lui non se ne accorse. Lo stesso anni dopo, e poi ancora. Avevano superato la mezza età quando una mattina, prima di andare alla bottega, Colino se ne uscí tutt'a un tratto: "Minghiaril, costava un po' piú cara, ma era robba speciale! Guarda questa camicia, da mo che la tengo, e sembra che me l'hanno fatta ieri!"

Per far studiare Mimmo Candida si dedicò al ricamo, che non toccava da quando era bambina. Era stata una delle sue passioni, dopo che sua madre l'aveva ritirata dalla scuola, ma dopo sposata non aveva piú preso l'ago in mano.

Erano tante le cose che non aveva piú fatto, nemmeno se ne ricordava, adesso. Se qualche volta le tornavano in mente era solo perché vedeva il figlio per il quale ci aveva rinunciato, coi capelli spettinati, le ginocchia sbucciate e senza un'ombra di riconoscenza, allora si diceva che i suoi vecchi desideri avevano messo i piedi e camminavano per andare dove dicevano loro.

Mammalina sapeva che c'era una signora di Grassano che voleva roba fina per il corredo delle figlie, e prese la commessa senza mai rivelare il nome della ricamatrice. Candida passava le notti su lenzuola e asciugamani che si riempivano di disegni delicatissimi, tono su tono, ricamando a punto a croce animali che non si erano mai visti, cervi con otto zampe, pesci farfalla, e altri parti della sua fantasia, mentre Colino si spazientiva nella camera da letto. Il sospetto che sua moglie facesse quei ricami a pagamento non lo sfiorò mai. In casa regnavano l'amore e la bugia.

Mammalina rubava a sinistra e a destra, in casa di tutta la gente dove andava a servizio, la roba in eccedenza che le capitava sottomano. Biancheria, farina, disegni di merletti, talee di piante. Portava tutto da Candida, e lí quella roba compariva miracolosamente nelle credenze.

Candida non faceva domande, né gliene fece dopo, quando risolti i loro problemi il commercio riprese a fiorire, e Mammalina ricominciò imperterrita a rubare in casa loro le stesse cose che prima aveva portato: biancheria, farina, talee di piante, con cui riforniva anche due o tre famiglie povere che aveva preso a proteggere.

Candida lavorò di nascosto finché non riuscí a ripagare i debiti. Ogni tanto, in pieno giorno, sveniva a causa delle notti bianche e della sua anemia, con grande preoccupazione di Colino, che non temeva nulla quanto il fatto che la moglie potesse morire prima di lui. Lei invece si consolava pensando che cosí sarebbe morta prima di Colino, perché niente la terrorizzava come l'idea di vivere senza di lui. Ma alla fine non morí nessuno e Mimmo si laureò in lettere all'Università di Bari.

*Alzatevi la camicia donna Calandra,
che ora ci appoggio il mio strumento ...*

# Capitolo quattordicesimo

La partenza di Rocco per Reggio Emilia fu straziante come un funerale. L'avessi fatto scarparo, diceva Lucrezia alle vicine, strappandosi i capelli e battendosi il petto dal dolore. L'aveva fatto studiare proprio perché non fosse costretto a lasciare il suo paese. Lo pianse come se fosse morto.

Rocco aveva tentato in tutti i modi di dirle che in altitalia le possibilità di vincere il concorso erano maggiori. Aveva tentato di spiegarle cosa fosse un concorso. E mille altre cose. Non si capivano. Non capivano le parole che usavano, e le cose a cui si riferivano. Rocco parlava ormai a sua madre di un mondo che le era completamente estraneo. L'unica cosa che Lucrezia capiva era il dolore di averlo perso. Non l'avesse fatto studiare, avrebbero parlato la stessa lingua. Se la prendeva con l'estinto, quelle rare volte che andava al cimitero. In ginocchio sulla sua tomba, lo malediva.

Rocco partí per Reggio Emilia che c'era il sole. Lungo il percorso del treno il cielo diventò sempre piú grigio. Quando arrivò c'era una cappa di piombo e bisognava mettersi il cappotto. Ne fu felice. Per tutta la durata del viaggio non aveva aperto bocca una sola volta. Fu grato a quel paese che lo avvolgeva con la sua pesantezza, e alle campagne olezzanti di merda di maiale.

Per un mese parlò unicamente a gesti e cenni della testa per sbrigare le faccende pratiche, trovare una pensio-

paonazzo dalla rabbia, le vene che gli pulsavano, mentre l'altro, malgrado fosse piú alto di lui, tentava inutilmente di resistere. Rocco lo afferrò per i capelli e iniziò a sbattergli la testa contro il muro, una volta, due volte, tre volte, quattro volte, sempre piú forte. Se non fosse venuto il bidello a levarglielo da sotto forse lo avrebbe ucciso.

Il giorno dopo Rocco aveva la febbre a quaranta. Dal lettino della pensione dove giaceva tremante e sudato allungò la mano fino al comodino e prese il pezzo di specchio dai bordi taglienti che gli serviva per radersi. Osservò il suo viso accaldato in mezzo agli schizzi di sapone secco, cercando qualcosa o qualcuno in fondo agli occhi castani e miti accesi in quel momento dalla febbre, ma dopo poco si sentí esausto e si addormentò. Solo molti anni piú tardi, alle prese con sua figlia, pensò di nuovo a quello sconosciuto che se ne stava rintanato silenziosamente dentro di lui, ma prima o poi, forse, sarebbe venuto allo scoperto.

Un giorno in corridoio lo fermò una collega, una biondina coi capelli lisci. Si chiamava Mara, non Maria, Mara, hai capito bene. Il nome veniva da Amara, gli disse, ma lui la vedeva dolce, come la curva del suo seno e le "s" che sembravano sciogliersi fra le sue labbra. Lo invitò a uscire con lei, quella sera. Lui accettò, perplesso. Non avrebbe mai immaginato che una donna potesse prendere un'iniziativa del genere. Lo portò in un bar pieno di fumo e di gente che veniva a salutarla. Rocco la seguiva taciturno, tentando ogni tanto, per educazione, una battuta che non la faceva ridere. Mara portava la testa nuda, non abbassava gli occhi quando un uomo la guardava e diceva quello che pensava senza giri di parole.

Non sapendo come comportarsi, Rocco per sicurezza non faceva nulla, lasciando che fosse lei, disinvolta, a prenderlo a braccetto. Faceva strani discorsi. Gli disse che lo aveva tenuto d'occhio, in quei mesi. Rocco non capiva di cosa stesse parlando e dove volesse arrivare. Se ne fece un'idea qualche tempo dopo, quando tornarono in quel bar.

C'era una certa elettricità nell'aria, quella sera. Un po' alla volta quelli che erano al bancone iniziarono a sparire. Si accorse che andavano nel retro. Dopo un po' Mara gli fece segno e ci andarono anche loro. Un gruppo di persone, quasi tutti giovani, alcuni seduti sulle poche sedie che c'erano nella stanza, altri in piedi, stava ascoltando una radio che perdeva continuamente la sintonia. Un giovanotto coi baffi le diede un pugno e la voce si stabilizzò. Era Radio Milano, che dava notizie sulla situazione in Spagna, che in quei giorni stava iniziando a precipitare. Rocco si sentí morire.

Sapeva del comunismo quello che aveva sentito dai preti e dalla propaganda fascista, che era peggio del colera e si commetteva peccato mortale solo a nominarlo. Quella storia poteva costargli il posto. Come minimo. Pensò a sua madre. Si guardò intorno. Mara ricambiò il suo sguardo, tranquilla. Guardò la gente nella stanza, quei ragazzi dell'età sua, chiedendosi di quali colpe si fossero macchiati. Ma non riuscí a immaginarsi niente.

Mentre pensava a come andarsene senza dare nell'occhio, Mara gli sorrise. Le si illuminavano gli occhi, quando sorrideva, l'aveva notato subito. Ma non fu il motivo per cui restò.

Rocco credette nell'utopia come altri avevano creduto in una delle tante terre promesse, Eden, America, Tripolitania o Abissinia. Fu la sua terza e ultima conversione, che fece piazza pulita delle altre due. Fu l'ultima volta che credette in qualcosa con tutto se stesso.

Lasciò gli amati romanzi della sua adolescenza a impolverarsi in certi scatoloni dove li ritrovò poi sua figlia anni piú tardi. Si buttò a leggere pagine oscure di Trotskij e del *Capitale* di Marx, inizialmente senza capire una parola, ma andò avanti con la sua solita tigna finché non si impossessò di quegli astrusi concetti e gli si aprirono nuove prospettive. La rivoluzione avrebbe sanato le ingiustizie, dato voce alla rabbia e dignità al dispiacere.

Quando Mara gli chiese se volesse dare una mano con le attività, Rocco restò in silenzio. Non per molto, solo il tempo necessario a relegare un pensiero lancinante in un angolo nascosto della mente. Poi disse di sí.

Diventarono inseparabili. Passavano le giornate all'uscita della scuola facendo attività, progetti e chiacchiere. Era Mara, piú che altro, a parlare, terminando un discorso e attaccandone un altro, con quel suo accento rotondo, senza preoccuparsi se Rocco rispondeva a monosillabi. Sembrava intuire esattamente quello che gli passava per la testa e lo sollevava dalla fatica di dirlo. Lui gliene era grato. Cominciò a provare un sentimento sconosciuto.

Una mattina d'inverno, quando si alzò la nebbia, delle scritte rosse furono viste dagli abitanti di Reggio Emilia sotto un porticato, in una latrina, sulla saracinesca di un magazzino: PANE AI BAMBINI O LA TESTA DI MUSSOLINI. VIA IL DUCE CHE ALLA FAME CI CONDUCE. CANCRO AI FASCISTI, EVVIVA LA RUSSIA DEI SOVIET. Una grande scritta rossa sul muro di cinta la videro anche gli operai delle Officine Reggiane che entravano per il turno del mattino, e si girarono piú di una volta per guardarla. SONO FELICE, diceva.

In un angolo della mente di Rocco c'era il pensiero che tutto sarebbe finito, un giorno, ma andava avanti come un mulo con gli occhi bendati per non rendersi conto del pericolo, sperando senza crederci che cosí facendo sarebbe scomparso per inerzia.

Un pomeriggio di noia, fra oggetti e documenti abbandonati in un cassetto della scrivania, Gioia ritrovò le foto di Rocco a Reggio Emilia, in un involucro di carta velina. Restò a lungo ad osservare quel giovanotto paffuto, in bianco e nero, chiedendosi cosa stesse guardando, con quello sguardo che lei non gli aveva mai visto.

Mara metteva nella politica la stessa energia con cui zappava l'orto, impastava il pane e pedalava distanziandolo senza volerlo quando andavano in bicicletta. Stando con lei Rocco sentiva un senso di pericolo, ma non quello di essere arrestato e nemmeno quello di cadere dalla bicicletta nell'inutile tentativo di superarla.

A causa sua iniziò a cambiare. Se ne accorse una sera, mentre ballavano nel retro del bar sulle note del trio Lescano. Mara gli stava insegnando i passi del valzer per i balli di copertura. Rocco si applicava con scrupolo, lo stesso che metteva nel decifrare i fascicoli del direttivo. Un due tre, un due tre. Rigido, impacciato. Tremante nello stringere il corpo soffice di lei. Rosso, ma non per il caldo. Un due tre. Inciampò e cadde, trascinando giú anche lei. Mentre stavano per terra Mara lo guardò negli occhi. Anche lui la guardò, quasi terrorizzato, mentre sentiva il suo corpo che prendeva imbarazzanti iniziative. A un tratto era scoppiato a ridere. Una risata che era partita timida e colpevole, a singhiozzo, poi aveva acquistato coraggio e sonorità. Mara l'aveva guardato incredula. È la prima volta che vedi uno che balla cosí male? È la prima volta che ti sento ridere.

Rocco aveva la solitudine appiccicata addosso. Qualunque cosa facesse per toglierla non se ne andava, come l'odore di stalla dei contadini, che durante la funzione domenicale riempiva la chiesa attraverso la trama dei vestiti buoni malgrado le energiche strigliate mattutine col sapone di soda.

Aveva conosciuto la famiglia di Mara, mezza contadina mezza operaia, con un numero incredibile di fratelli e sorelle dai nomi che non corrispondevano a nessun santo della Chiesa cattolica. Lei era l'unica ad aver studiato. Abitavano in una casa colonica sulla terra che coltivavano, e non avevano bisogno di alzarsi prima dell'alba e percorrere chilometri per andare a lavorare, come aveva sempre dovuto fare sua madre. Ma la cosa che gli sembrò straordinaria è che erano organizzati in cooperative. Mettevano in comune gli attrezzi e si consorziavano per vendere i prodotti. Da loro, dove i contadini erano convinti che anche un'occhiata potesse consumare le cose e temevano l'invidia piú della siccità, una cosa cosí non sarebbe mai potuta succedere.

Uscendo dal suo abituale mutismo, Rocco bersagliava di domande il padre di Mara, Libero, che metteva tutta la sua buona volontà per rispondergli, ma tutt'a un tratto si interrompeva in mezzo a un discorso, lo fissava coi suoi occhi blu cobalto e gli dava una bella pacca sulla spalla. T'è propria un dal tàc, gli faceva, e scoppiava a ridere. Non aveva perso il buon umore nemmeno tre anni prima, quando i fascisti gli avevano distrutto il raccolto e loro erano riusciti a non morire di fame solo grazie al soccorso rosso.

Durante i pranzi e le cene dove tutti vociavano e si punzecchiavano, Rocco restava muto, ritirandosi in un suo mondo nel quale nessuno sapeva cosa accadesse, riprendendo i contatti con la realtà solo quando si parlava di politica. Gli veniva fuori allora un'oratoria insospettata, che trascinava i presenti, li stringeva e li infervorava.

Nel giovane e ingrugnato maestro meridionale Mara vedeva per un attimo il trascinatore di folle che sicuramente sarebbe diventato.

Si frequentavano da mesi quando fecero l'amore per la prima volta. Rocco non si sarebbe mai permesso di mancarle di rispetto, ma la notte faceva certi sogni che poi il giorno dopo tentava di dimenticare.

L'unica donna che aveva toccato in vita sua era una prostituta. C'era andato il giorno in cui aveva compiuto ventun anni.

Quella mattina sua madre gli aveva fatto mettere l'abito buono. Anche lei si era vestita a festa. Erano diciassette anni che Lucrezia aspettava quel giorno. Lui avanti, lei dietro, erano andati alla posta a ritirare i soldi della buonanima. Rocco aveva firmato le carte. Aveva scritto il suo nome e cognome accanto alle croci che suo padre aveva messo diciassette anni prima. Poi l'impiegato aveva contato i biglietti e finalmente glieli aveva dati.

Con quella cifra, quando suo padre l'aveva depositata al ritorno dall'America, si poteva acquistare un terreno di tre o quattro ettari, di una terra abbastanza buona da essere coltivata. Ma c'era stato il crollo della borsa del '29. Una svalutazione del 41 per cento, e gli effetti della crisi economica. Con quei soldi, adesso, si poteva pulire il culo.

Rocco accompagnò a casa Lucrezia e restò lí in silenzio finché non si fu addormentata. Quella sera perse la verginità con una puttana di Grassano. La pagò 20 lire e le lasciò una mancia che lei finché visse non se la dimenticò. Con quello che aveva ancora in tasca offrí da bere a tutta la piazza.


Fin da bambina, forse perché aveva perso la madre che non aveva ancora sette anni, quando Mara doveva fare qualcosa se poteva farla subito di solito non la rimandava. Cosí si comportò anche con Rocco, quando vide che non si decideva.

Un giorno, all'uscita della scuola, gli disse di andare con lei, che era importante. Non volle dirgli di piú.

Lo portò a casa sua. Rocco si stava dirigendo verso l'abitazione ma lei restò indietro, lo chiamò e gli fece segno di seguirla nel fienile. Rocco pensò che fossero arrivati gli opuscoli da distribuire nelle fabbriche e li avessero nascosti lí. Ma nel fienile c'era solo erba medica messa a seccare. Rocco si guardò la punta delle scarpe. Sentiva le gambe molli e una specie di vertigine. Guardò Mara. L'aria era piena di moscerini. Si agitavano nel raggio di luce che veniva giú dalla finestrella in alto, li rivedeva ancora a distanza di anni. L'erba medica mandava un odore penetrante, che solleticava le narici, e poi diventò piú intenso sotto la pressione dei loro corpi, mentre ci rotolavano so-

144

pra, ma Rocco in quel momento non ci fece caso. Se ne ricordò solo in seguito, come se gli si fosse impresso a sua insaputa nel cervello e infatti da allora non poté piú sentire l'odore dell'erba medica senza provare una bruciante nostalgia. Dopo, lei gli sfiorò la cicatrice, quella piccola, rotonda, chiara, che aveva sul braccio. Cos'è? Niente, disse lui.

A Grottole, quando andava a trovare sua madre, Rocco veniva inghiottito da un buco nel tempo, un'assenza che lo risucchiava, spezzandogli la volontà. Altrove succedevano cose che lí arrivavano solo come pallidi echi, talmente effimeri che finiva per dubitare della loro stessa realtà. Gli sembrava che la sua vita a Reggio Emilia fosse solo un sogno, che anche la rivoluzione fosse un sogno al quale aveva dato credito ingenuamente, e l'unica cosa che esisteva e sarebbe sempre esistita erano i riti che da quando era nato scandivano le giornate: le campane della chiesa, i discorsi sul tempo, i commenti sulla predica del prete alla messa, i pettegolezzi delle donne, la processione dei contadini che tornavano a dorso di mulo al crepuscolo, sempre uguali, come una sfilza di fantasmi che garantivano che niente sarebbe mai cambiato. Lo prendeva uno scoramento nel quale sprofondava sempre di piú fino al momento della partenza.

In quei giorni non vedeva nessuno dei vecchi amici, nemmeno Mimmo. Passava le giornate seduto accanto a sua madre, senza parlare. Se ne restavano immobili, guardando fuori dalla vetrina della porta, in un tempo sospeso, come se da qualche parte qualcuno non riuscisse a decidere se far venire l'inverno o l'estate, il giorno o la notte. Ogni tanto Lucrezia rompeva il silenzio per dirgli di qualche suo amico che si era sposato. Lui finiva col giurarle che avrebbe chiesto il trasferimento e sarebbe tornato entro l'anno. Ripartiva credendoci. Poi tornava su, e riabbracciando Mara si sentiva rinascere.

145

Quando scoppiò la guerra di Spagna, Mara voleva partire volontaria con le brigate Garibaldi. Ogni volta che ne parlava con Rocco, lui cambiava discorso. Alla fine, con suo grande sollievo, il partito decise che erano troppo preziosi dove si trovavano, cosí restarono a Reggio Emilia. In quel periodo pensavano spesso al futuro. Avevano già deciso il nome che avrebbero dato alla loro prima figlia: Pravda, come il giornale del partito comunista sovietico.

La guerra scoppiò il 10 giugno 1940.

Rocco riuscí a evitare la partenza grazie alla tubercolosi che aveva avuto in seminario. Però fu chiamato come riserva al distretto militare di Pescara. Gli diedero un lavoro impiegatizio perché non era molto il personale alfabetizzato. Con Mara si scrivevano tutti i giorni. Lettere d'amore, e fra le righe allusioni su quanto accadeva intorno a loro e sulle decisioni da prendere.

Il 12 settembre 1943 Mara si presentò in caserma. Non preannunciò la sua visita. Quella notte Rocco aveva fatto sogni confusi, e quando si era svegliato, al mattino, si era ritrovato in una confusione ancora maggiore. Nello smarrimento generale venne chiamato nell'atrio e se la trovò davanti. Si era fatta in treno, in corriera e a piedi, con tutte le difficoltà dei collegamenti interrotti, la strada da Reggio a Pescara.

Ora che ce l'aveva davanti, Rocco si accorse di quanto gli era mancata in quei tre anni. Era un po' dimagrita, ma aveva l'aria risoluta di sempre e gli occhi ancora piú brillanti. Aveva fatto tutto il viaggio per parlargli senza che nessuno li sentisse. Gli disse concitata che il re era fuggito. Sembrava che fosse venuto proprio lí, a Pescara. Loro, lei e i suoi fratelli, e gli altri del gruppo, si stavano organizzando, avrebbero lasciato il casolare quella sera stessa. Si sarebbero dati alla macchia sui monti verso Civago. Molti giovani che avevano ricevuto la cartolina si stavano unendo a loro. Per venire lí, da lui, aveva dovuto impuntarsi, i compagni non volevano lasciarla andare, dicevano

tina del sabato fra le mura del collegio, e quello di calce e di lavanda che aleggiava nelle camerate. Gli odori corposi e a volte osceni delle strade grottolesi non la insidiavano piú. Imparò a disporre i bicchieri e le posate, a sbucciare la pesca e l'arancia con un solo giro di coltello, a fare la riverenza e a star seduta con la schiena dritta e i gomiti attaccati al busto. Si fece anche un'amica.

Piú che un'amicizia, in realtà, fu una simbiosi.

Fra le ragazze del collegio c'era una rigida gerarchia, che si poteva notare a prima vista dalla loro disposizione in cortile durante l'ora di ricreazione. Essendo quello uno dei pochi istituti femminili del circondario, raccoglieva ragazze dalle Puglie, dalla Basilicata e dall'Abruzzo.

Non appartenevano tutte alla stessa classe sociale.

In cima c'era l'élite, la crème de la crème, le signorine nobili, oppure le figlie di possidenti terrieri o dei proprietari dei manifatturifici della zona, frantoi, mulini e fornaci. Ognuna di queste ragazze rappresentava un caso particolare, perché le famiglie piú altolocate, in genere, preferivano al collegio l'istitutrice privata. Poi c'erano le figlie di contadini benestanti, o di piccoli commercianti, che le facevano studiare per smania di elevazione sociale. Erano le piú secchione, quelle che imparavano a memoria il dizionario e applicavano alla lettera regole di grammatica e di etichetta senza mai possederle. Infine c'erano le orfane di guerra, quelle che avevano perso il padre al fronte nelle prime fasi del conflitto, a cui lo Stato, come ricompensa, pagava gli studi. Rappresentavano l'ultimo gradino della gerarchia sociale. Erano continuamente punite, emarginate, e spesso occupate nelle pulizie, a integrazione, dicevano le suore, della retta insufficiente.

Maria era una di loro. Veniva da Letto Manoppello, un paesino delle montagne abruzzesi. Il privilegio di studiare le stava costando caro.

Era una ragazzona alta e robusta, coi modi semplici e le guance rosse della montanara. I brodini delle suore le sciacquavano lo stomaco. Era continuamente tormentata dalla fame, che l'accecava e finiva col comprometterne il rendimento. Veniva punita in continuazione ed era diventata in poco tempo lo zimbello del collegio. Non passava settimana senza che avesse saltato almeno un paio di cene, e trascorso qualche pomeriggio chiusa nello stanzino buio. La sua situazione era talmente critica che avrebbe potuto rimetterci la pelle, come si mormorava fosse successo anni prima a una ragazza che era morta dopo essere stata lasciata tutta una notte chiusa nello stanzino, coi vestiti bagnati addosso.

A qualche mese dal suo ingresso in collegio Maria aveva preso un colorito verdastro e l'aria incerta di chi cammina sul filo del rasoio. Era ormai candidata alla tubercolosi, quando si accorse di qualcosa che stava succedendo vicino a lei.

Le suore del Sacro Cuore servivano dio e rimpinguavano le casse dell'erario insegnando alle loro ragazze la moderazione verso tutti gli appetiti della vita, fossero fisici o morali, ma nel caso di Alba non ce n'era bisogno. Nutriva per ogni cosa un diffidente distacco, e non c'era nulla che la attraesse o la appassionasse piú del necessario, a parte la matematica. Meno di tutto le interessavano quelle che alcuni chiamano le gioie del corpo. Cosí il cibo scarso e scipito delle suore non fu mai un problema per lei, se non come era sempre stato un problema il cibo, cioè in che modo smaltirlo senza dare nell'occhio.

Aveva elaborato una serie di ingegnosi sistemi per nascondere la sua inappetenza. Si introduceva in bocca un po' di cibo e lo masticava facendone una pallottola che nascondeva nella guancia. Appena suor Germana, che sorvegliava i loro pasti, si lasciava irretire dal piatto che aveva davanti, Alba fingeva uno sbadiglio o un colpo di tosse e portava educatamente la mano alla bocca. Raccoglieva cosí il bolo alimentare che con movimento rapido e coordinato del braccio passava sotto la tavola, dietro lo schienale della sedia, e finiva nel terreno di una pianta in vaso, un'ortensia azzurro cangiante che si trasformò una volta al mese in una pianta carnivora e gli altri giorni dovette accontentarsi di patate e semolino come le fanciulle in fiore che a quelle scarse vettovaglie affidavano lo sviluppo delle loro forme.

L'attenzione di Maria pian piano era stata attratta dagli eleganti movimenti di Alba, dalle sue torsioni da prestigiatrice, fino a rendersi conto che là dove molte avrebbero ucciso per una porzione extra di sardine o di puré di patate, c'era qualcuno che non sapeva come disfarsene. Mentre guardava ipnotizzata il modo chirurgico con cui Alba sezionava il cibo, muovendo le posate come le avevano insegnato le suore, Maria cominciò a realizzare che quello strano fenomeno avrebbe potuto salvarle la vita. Ma tanta era la soggezione che provava per quella bambina schifiltosa, che non riusciva a trovare il coraggio di rivolgerle la parola. Era attratta da lei come si può essere attratti da una bestiolina mai vista, di quelle che gli imbonitori esibivano nelle fiere.

Alla fine però l'istinto di sopravvivenza ebbe il sopravvento, vincendo la goffaggine di Maria e la ritrosia di Alba, e anche la vigilanza delle suore che contrastavano qualunque genere di scambio. Strinsero il patto durante la ricreazione, e da allora iniziò una simbiosi che permise a tutt'e due di superare indenni gli anni difficili delle medie. Non si dicevano molto, ma si scambiavano il cibo e quando le notti erano gelide sfidavano la sorveglianza delle monache mettendosi nello stesso letto per riscaldarsi. Durante l'ora di ricreazione non si mescolavano alle altre, non prendevano parte all'eterna competizione che travagliava le ragazze del collegio, non tentavano di scalzare né si difendevano nella paura di essere scalzate, bastando a se stesse e soddisfatte della loro vita elementare. Se qualcuno tentava di importunarle, di piegarle a un ricatto o di coinvolgere una lasciando fuori l'altra, era Maria a pren-

dere le difese di entrambe, con l'unico argomento rappre-
sentato dalla sua stazza e dalla fiducia che le dava l'alleanza
con l'amica.

Ma in primo magistrale tutto cambiò.

Un pomeriggio, era novembre, dopo le feste dei morti Alba sentí il suono del pianoforte diffondersi nei silenziosi corridoi del Sacro Cuore, e una voce che gorgheggia-
va. Non aveva mai sentito niente del genere. Con una strana sensazione di felicità si diresse verso il luogo da cui
proveniva. Socchiuse la porta e restò sulla soglia. Al pianoforte a coda c'era Gioia.

Aveva compiuto da poco quattordici anni, ma la sua
bellezza era già decisa. Veniva da Lecce, e delle leccesi aveva la bellezza antica, che si perdeva nel tempo in magiche
proporzioni greche. Alta e armoniosa, i capelli biondo ra-
mato incorniciavano un profilo da cammeo e due grandi
occhi verdi. Aveva la pelle bianca e lucente, mani affuso-
late, caviglie snelle. Nessuna sporcizia sembrava potesse
attecchire sul suo corpo.

Alba restò a lungo sulla soglia, come ipnotizzata, ma
quando la pianista, girando una pagina, gettò uno sguardo verso la porta, scappò via come uno scoiattolo. Fu l'impressione che ne riportò Gioia.

Gioia correva come una scatenata per i corridoi del collegio ed elargiva ad ogni movimento un profumo di gelsomino. Era stata allontanata di casa dalla madre perché,
crescendo, la sua bellezza faceva ombra alla sorella maggiore in età da marito. Quell'allontanamento l'aveva riem-
pita di cattiveria. Trascorreva le sue giornate imbroncia-
ta come una dea dell'Olimpo, tiranneggiando tutte le sue
compagne, in particolare le sue dirette sottoposte, quattro
ragazze di buona famiglia che la seguivano dappertutto ub-
bidendo ai suoi ordini e facendoli rispettare dalle altre, come la milizia di una principessa di sangue reale.

Gioia decideva ogni cosa della vita delle ragazze in collegio, per quanto riguardava il tempo che non era regolamentato. Si sedeva al terzo posto del secondo banco della chiesa, durante la funzione mattutina, un posto che per qualche motivo ormai dimenticato era da generazioni il piú ambito e continuava a suscitare contese, faide e vendette. Era lei che sceglieva il gioco da fare durante la ricreazione in cortile, e decideva chi avrebbe partecipato e chi no. Poteva anche decidere che quel giorno non si sarebbe giocato affatto.

I suoi ordini venivano comunicati dalle sue fedelissime. Un bigliettino poteva annunciare cadute in disgrazia e riabilitazioni, ostracismi e promozioni. Fra i vari privilegi, Gioia si riservava anche quello di ordinare a una delle compagne di fare i compiti al posto suo. Lo studio le sembrava roba da ragazze povere in cerca di riscatto sociale.

Le suore chiudevano un occhio, lasciando le ragazze a sbrogliarsela come potevano, perché sempre c'era, ci sarebbe stata e ci doveva essere una Gioia che tiranneggiava le altre. Tutte le ragazze agognavano di far parte del suo gruppo, ma pochissime ci riuscivano.

Il primo discrimine fra le nobili e le plebee avveniva a tavola. Fra quelle ragazze uniformate dalle divise, il modo piú sicuro per riconoscere la loro estrazione era guardarle mangiare, perché le buone maniere apprese di recente non nascondevano mai del tutto la voracità. Dopo i primi mesi in collegio, quando Gioia finalmente si degnò di soffermare su Alba la sua attenzione, restò colpita dall'eleganza con cui trattava il cibo. La tenne d'occhio per circa una settimana. Poi le fece arrivare un bigliettino.

Il cuore di Alba, ricevendolo, si mise a battere sotto le costole fragili come quello di un gatto spaventato, e continuò cosí fino al giorno dell'appuntamento, quando si trovò di fronte a Gioia, all'ora di ricreazione, in cortile.

Si fissarono in silenzio, a lungo. Gli occhi di Alba profondi come una miniera di carbone. Scintillanti di spavento. Quelli di Gioia verdi trasparenti. La ucciderò la graffierò la morderò. Chi ti credi di essere. Vorrei essere tua amica, disse Gioia.

Accadde l'impossibile. Senza averlo mai desiderato Alba fu ammessa ai complessi rituali dell'élite. Quelle che li ricevevano divisero con lei i loro frutti canditi, che apprezzò piú che altro per la forma e il colore, e conservò a lungo in un cartoccio nel cassetto che le era assegnato, finché un giorno non ci trovò i vermi. Venne messa a parte di tanti piccoli segreti. Giocò alle belle statuine. Sfogliò numeri di *Vogue* venuti direttamente da Parigi. Passò ore ad ascoltare Gioia che suonava, riconoscendo in quelle simmetrie gli stessi rapporti perfetti che amava nella matematica.

Maria fu abbandonata. Alba continuava a darle il cibo che le avanzava come un'elemosina ma ormai non la degnava piú di uno sguardo. Lei e Gioia erano diventate inseparabili e vivevano in un mondo nel quale nessuno poteva penetrare. Maria si tormentava in segreto per la sua perdita.

Con la primavera le cose peggiorarono ancora.

Oltre il muro di cinta del collegio fiorivano le bougainvillee e le belle di notte. Le prime note del loro profumo struggente iniziavano a diffondersi al tramonto. Un'inquietudine sconosciuta coglieva allora le collegiali, e non si placava nemmeno piú tardi, quando l'aria della notte avvolgeva i corpi in una dolcezza peccaminosa, contro la quale le suore non potevano nulla. Lontano, non si sa dove, succedevano cose sordide e sublimi, tenere e crudeli epifanie ormonali. Piú lontano ancora c'era il mare. Alba lo intravedeva una volta alla settimana, durante la passeggiata domenicale. Le sue scaglie traslucide spuntavano nella prospettiva di una strada, e l'aria vicino all'orizzonte si faceva piú chiara. Ma la presenza del mare si avvertiva anche nel chiuso delle mura. Era una brezza salmastra, dall'odore corroborante, che lasciava l'aria carica di tutti i colori dell'arcobaleno. Restavano sospesi, tremolavano, poi si dissolvevano come bolle di sapone. Qualche volta, portato dal vento, arrivava il grido di un pescivendolo, il miagolio di un gatto, gli echi di un litigio o lo schiamazzo dei bambini. Più spesso erano i mesti canti delle monache che accompagnavano le ore della giornata. Ma la gioventú fioriva dovunque poteva, come le esuberanti erbe selvatiche che suor Giovanna la giardiniera si affannava inutilmente a strappare dal cortile.

Gioia parlava ad Alba non d'amore, ma dei suoi presentimenti. Le venivano in mente parole senza senso e dolcissime, che chiedevano soltanto di essere decifrate, e la primavera le sembrava un invito. In quei giorni l'amore viveva soltanto per essere raccontato. Erano sogni e supposizioni fatti da due ragazzine che si sfioravano le mani e si accarezzavano con gli occhi, cogliendo la propria bellezza in quella dell'amica, la finezza della propria pelle nella grana della pelle dell'altra, la rotondità delle forme in quelle acerbe di fronte, e si amano in un gioco di specchi.

La tua gioia è la mia. La vita, quella che possiamo immaginare insieme. Il patto, indistruttibile.

Gioia conduceva Alba, la istruiva. Le insegnava le sue maniere e il tempo si riempiva di gallerie lunghissime e comunicanti. Facevano le prove generali di ciò che sarebbe stato e poi alla fine non fu.

Facevano sognare gli occhi vellutati del garzone del lattaio, i baffi dello studente e l'uniforme del tenentino, ma non piú di due domeniche di seguito. Chi aveva fatto palpitare il cuore poi faceva ridere, e Alba aveva sviluppato la virtú delle anime inappetenti, unica eredità certa della sua famiglia, un umorismo tagliente e paradossale, che temprava gli struggimenti. Ridevano. Scoppi travolgenti, scatenati a volte soltanto da uno sguardo, o addirittura da un pensiero comune che non c'era bisogno di esternare. Si manifestava in una contrazione del ventre, un gemito, una forza accumulata che dirompeva come un'esplosione. Risate per le quali avrebbero rischiato la vita. Irrefrenabili. Spossanti, che si rigeneravano a distanza di giorni, quando lo stesso pensiero, carico come le nuvole di un temporale venuto da lontano, si riaffacciava alla mente. La vita mostrava la sua faccia sacra e quella profana, e la loro coincidenza. Se morirai morirò anch'io. La morte è ingiusta. La vita è ingiusta. Silvia rimembri ancor...

Durante la passeggiata della domenica si creava una fila di ragazzi che venivano apposta per veder passare le collegiali, e Gioia era la piú guardata. A poche settimane dal suo ingresso in collegio iniziarono ad arrivare proposte di matrimonio da inoltrarsi ai genitori, che non le prendevano in considerazione.

Anche per Gioia il tempo dell'amore non era ancora arrivato. Se da una domenica all'altra c'era un mondo fatto di dettagli e di invenzioni, di supposizioni sul colore di una cravatta o sull'angolatura di uno sguardo, alla fine, inevitabilmente, l'immagine dell'amore romantico veniva offuscata dalla barba di suor Giovanna, e i sospiri dalle lacrime provocate dal troppo ridere.

Dall'estate del primo magistrale Gioia tornò donna. Le erano cresciuti due seni rotondi che si potevano tenere nel palmo di una mano. La vita le si era assottigliata e i fianchi allargati. Le labbra si erano fatte piú piene e piú rosse, i capelli piú lucidi e gli occhi brillanti come se avesse la febbre. Infatti era cosí. Si era innamorata, ricambiata, del fidanzato di sua sorella.

L'allontanamento di Gioia, voluto dalla madre, era servito soltanto a precipitare le cose.

Eugenio Capece, dei baroni Capece di Nardò, quando si era trovato di fronte senza preavviso quell'adolescente in piena fioritura, inconsapevole degli effetti devastanti del suo nascente fascino femminile esercitato indiscriminatamente, non aveva potuto mettere in atto nessuna delle difese fornite dal calcolo e dal ragionamento ed era caduto in un delirio di concupiscenza che gli annebbiava il cervello. Gioia inizialmente si era divertita, poi aveva sentito avverarsi quel presentimento d'amore cosí accuratamente preparato in tutti quegli anni, quello struggimento assoluto, quell'esilio e quella patria che aspettavano soltanto un'occasione. Aveva inseguito il tormento al quale si sentiva destinata.

Non si erano scambiati una parola per tutta l'estate, solo una follia di sguardi. Gioia era cresciuta, raggiungendo la sua altezza definitiva, che era appena tollerabile per una ragazza dell'epoca. Gli mozzava il fiato ogni volta che passava.

Aveva aspettato fino a febbraio, un febbraio piovoso e freddo, uggioso come pochi, per fare d'impulso la strada da Lecce a Monopoli e produrre una di quelle svolte miracolose che l'amore genera ogni volta che ha toccato la disperazione, farsi trovare in corso Vittorio una domenica alle dieci, confuso tra gli avventori del Gran Caffè, il cuore che gli batteva, gli occhi brillanti e la fronte sudata. Alla sua vista, Gioia sentí spalancarsi il baratro del suo futuro e dopo un attimo di esitazione ci si buttò a capofitto.

Alba aveva ancora il torace piatto come quello degli uccelli, amava gli intrighi e rideva. Trascorse serate intere con la sua compagna a guardare la foto del giovane coi capelli neri e gli occhi chiari, a fare supposizioni, ad ascoltare all'infinito il racconto degli stessi episodi. Solo negli anni successivi lui osò scrivere alla sua amata, e iniziò una corrispondenza insulsa e appassionata, con la complicità del garzone del lattaio che recapitava le lettere.

Ci furono oasi, tregue e disperazioni. Alba non ebbe bisogno di innamorarsi, perché si era innamorata l'amica. Si accoccolò in quell'amore troppo ampio e ne godette i riflessi. Restò fredda e produsse equazioni sublimi, che commossero la signorina Invernusi, la professoressa di matematica.

Quando frequentavano l'ultimo anno di magistrale Gioia e il suo innamorato litigarono. Per alcuni mesi interruppero ogni contatto, e Gioia raccontò ad Alba quanto si sentiva liberata. La invitò a trascorrere l'estate a Santa Cesarea. Le mostrò una foto della sua villa in stile moresco e le parlò dei giardini di pini marittimi che digradavano sul mare, dei gelsi, dei capperi e dei gelsomini che le donne si infilavano a manciate sotto i vestiti. Le raccontò dei balli, delle paste di mandorla e dei cugini scapestrati, che uno sicuramente le sarebbe piaciuto, le mostrò una foto dov'era riunita tutta la famiglia, una trentina di persone che si distinguevano a stento, e lui su quella foto aveva solo tredici anni ma era bello adesso, con gli occhi verde mare, e all'Università non aveva dato nemmeno un esame, faceva solo scherzi da morire dal ridere e il padre si disperava.

Durante i momenti liberi Gioia istruiva Alba. Le insegnò a ballare il valzer e Alba era bravissima, leggera e aggraziata. Le suggerí usanze e comportamenti, perché aveva cugine invidiose e pettegole, da cui bisognava guardarsi. Le parlò degli amici di famiglia, e quant'erano ridicoli, dei genitori e delle loro manie, di com'era fanatica sua madre coi vestiti, dei cavalli, e il suo preferito da quando era piccola. E quanto si sarebbero divertite.

A Pasqua Alba ottenne dai suoi il permesso di trascorrere le vacanze dall'amica. Si fece cucire dalla sarta un vestito copiato da *Vogue*, con una rimanenza di stoffa trovata nella bottega di suo padre, un taffettà frusciante, color prugna. La sarta fece del suo meglio per seguire quel modello complicato e alla fine ci riuscí, ma il vestito venne talmente stretto che Alba, malgrado fosse magrissima, per poterselo mettere doveva trattenere il fiato.

Quel vestito, allargato in vita, se lo mise poi sua figlia alla festa di compleanno per i sedici anni, quella dove si ubriacò di Fundador e diede il suo primo bacio a un ragazzo che non aveva mai visto prima.

In collegio, al ritorno dalle vacanze di Pasqua, Alba e Gioia contavano i giorni che ancora mancavano alla fine dell'anno, ma le cose presero una piega diversa. Dopo tre mesi l'innamorato di Gioia si rifece vivo, e lei rinnegò all'istante, senza vergogna, tutti i buoni propositi.

Con la complicità di Alba riuscí ad allontanarsi per un paio d'ore, e quando tornò aveva le guance rosse, gli occhi limpidi e un'espressione estatica da santa Teresa. Le raccontò a lungo della sua persa verginità, entrando meticolosamente nei dettagli. Alba trovò la faccenda ripugnante, ma non glielo disse. La sera stessa, non si sa come, anche le suore conoscevano tutti i dettagli della vicenda. Gioia venne rinchiusa nello stanzino buio, e quella notte si sentí un gran trambusto. Al mattino non c'era piú. La sua roba sparí dalla camerata senza che venisse data nessuna spiegazione. Fu vietato nominarla. Si diffuse la voce che fosse morta, come la ragazza di cui alcune collegiali giuravano di aver visto il fantasma infreddolito aggirarsi nei lunghi corridoi del Sacro Cuore.

Maria pianse a lungo, in segreto, le conseguenze della sua delazione, che non avrebbe voluto cosí tragiche. Aveva desiderato soltanto riappropriarsi dell'amica che l'altra le aveva sottratto, ma non ci riuscí, perché Alba continuò a passarle il suo cibo e a non rivolgerle la parola.

Alba tornò a Grottole dal magistrale che era una perfetta signorina. Sedeva a tavola con la schiena dritta e i gomiti attaccati al busto. Sbucciava la mela la pesca e l'arancia con un solo giro di coltello, anche se poi non li mangiava. Non faceva gorgogliare il brodo nella cavità orale. Conosceva una quindicina di parole francesi e aveva una solenne nostalgia dell'odore di gelsomino che emanava Gioia, della sua voce melodiosa e delle sue insulse fantasie. L'ombra del collegio l'aveva protetta dalla sporcizia della vita. Portò via il ricordo dell'amica, i numeri di *Vogue* che le aveva regalato e il rimpianto di quell'estate insieme che non vissero mai. Fu restituita all'afa e al tanfo di Grottole, alle sue case di calce scrostata, ai selciati scivolosi, al fango e alle mosche. E vi si adattò con disgusto.

*Sorella mia sorella*
*mo si arrotano li cortella*
*li cortella so arrotati*
*e l'ora mia è arrivata.*

# Capitolo sedicesimo

Sulla piazza di Montescaglioso c'era una finestra che sbatteva. Una mazza di mazza e ciucco e tum tum tum. Uno zoccolo di cavallo che batte sulla terra. E dàlla sulla terra e dàlla sulla terra dove abbiamo seminato. Andatevene via! Ci stanno passando coi cavalli, sul grano che ancora non si vede e sulla testa di Francuzzo mio. L'avevo detto che non dovevo andare. Togliti di là a mamma che quelli ti ammazzano, se ne fottono, ti ammazzano, gli dànno sulla testa cogli zoccoli, vedo il sangue, come quella volta di mio fratello, togliti a mamma, togliti a mamma.

Cenzina si svegliò col cuore che batteva forte, tutta sudata, malgrado nella stanza facesse freddo. Accanto a lei Peppino, suo marito, dormiva russando appena appena. Il bambino nella naca non si sentiva. Gli altri due invece, uno a capa uno a piedi del letto, si voltavano e si giravano. Dietro la tenda passò qualcosa, una gatta, o una gallina. Fuori non era ancora fatto giorno.

Ci volle un po' prima che il cuore di Cenzina si acquietasse. Sta cretina, si disse, che invece di ringraziare il padreterno fai tutti sti brutti pensieri.

Qualche giorno prima ai Tre Confini, mentre stavano occupando le terre dei baroni Lacava, era arrivata la polizia. Perché loro avevano arato e seminato. Lí e alla Dogana del Conte Galante, all'Imperatore nel demanio comunale, dovunque ci fosse terra incolta. Tanto grano che avrebbe potuto mangiarci tutta Montescaglioso, diceva suo marito. Tempo prima Peppino si era iscritto al partito comunista. All'inizio lei l'aveva presa come una disgrazia, ma poi gli era andata appresso.

Il giorno della processione stava in prima fila, insieme a Nunzia Suglia e Anna Avena. Una strana processione senza preti e senza santi. Una bandiera rossa attaccata su una zappa. E su una vanga una carta dove le avevano detto che c'era scritto qualcosa sulla proprietà privata. La polizia se n'era andata, quella mattina. Aveva fatto marcia indietro davanti a loro, ai bambini, alle donne, ai cafoni, cose dell'altro mondo. Cenzina si girò sotto l'imbottita, sulle lenzuola gelate, e andò a mettersi proprio sotto a suo marito in cerca di un po' di calore. E forse anche di qualcos'altro.

Lo facevano quasi sempre a quell'ora, poco prima dell'alba, quando tutti dormivano piú pesantemente, ma da quando era iniziata l'occupazione non era piú successo, e lei in quel momento fosse per quel brutto sogno, fosse per la soddisfazione di essere scampati al peggio, aveva voglia di sentirsi le sue mani addosso. Ma lui non si svegliò. Arrivava stanco morto, la sera. Cosí invece fu lei che si riaddormentò e ricominciò subito a sognare. Batteva i materassi a casa di sua madre, tum, tum, tum, tum, tum, e poi uno sparo, un altro sparo, nella piazza avevano fucilato suo marito. Si svegliò di soprassalto. Stavano battendo alla porta. Questa volta si svegliò anche Peppino e si mise a sedere sul letto senza capire cosa stesse succedendo. Fuori si sentiva movimento.

Quando Peppino aprí la porta l'aria gelata entrò in casa insieme a una gatta che andò a nascondersi sotto il letto e il bambino nella naca si mise a piangere. La strada era piena di gente. Tonino Andriulli disse che avevano arrestato quelli del sindacato. Peppino si vestí in fretta, e quando uscí lei gli corse dietro, in camicia da notte e spettinata, afferrando una mantella da buttarsi addosso.

Il bambino piangeva sempre piú forte e il marito le gridava di tornarsene a casa, ma lei non ci pensava nemmeno, coi sogni che aveva fatto.

Il paese era al buio, avevano tolto l'elettricità, lo seppe dopo. Non c'era neanche la luna quella notte, cosí ci mise un po' prima di vedere le camionette della polizia. La folla aumentava e a un tratto la separò da suo marito. La gente gridava di liberare gli arrestati, mentre lei sgomitava per raggiungerlo.

Poi all'improvviso sentí gli spari. Non ebbe dubbi. Giuseppe Novello, Peppino, suo marito, fu ucciso da una sventagliata di mitra. Aveva 32 anni. Un incidente. Un poliziotto in motocicletta che aveva sparato per farsi largo fra la folla.

Rocco tornò a casa che era già fatto giorno. Si buttò sul letto tutto vestito e non prese sonno se non verso la mezza. Lo svegliò sua madre dopo non molto, era pronto da mangiare.

La voce della morte di Novello aveva già fatto il giro dei paesi e Lucrezia disse che avrebbe potuto essere lui al posto suo, ogni volta che usciva la faceva morire di crepacuore.

Rocco era segretario della sezione comunista di Grottole, che aveva la sede a San Nicola, in uno scantinato che ospitava anche la Camera del Lavoro. Il segretario della Camera del Lavoro, e inizialmente anche il suo unico iscritto, era Mimmo.

Al ritorno di Rocco, dopo la guerra, si erano ritrovati. Mimmo insegnava italiano alle medie di Matera, Rocco aveva chiesto il trasferimento alla scuola elementare di Grottole. Solo Mimmo era stato al fronte, ma si sentivano entrambi dei reduci.

Il paese li aveva riaccolti con fatica, a volte troppo estraneo, altre troppo familiare. Si sforzarono di farci nuovamente l'abitudine e si trovarono, come già da ragazzini, uniti dall'incertezza. I giorni del seminario sembravano ormai lontanissimi. Mimmo iniziò a riconoscere un po' alla volta una sfumatura di rimpianto negli occhi dell'amico, che prima non c'era. Rocco non gli nominò Mara nemmeno una volta, ma mentre facevano su e giú nella piazza gli parlò a lungo, infervorandosi, delle cooperative di Reggio Emilia, di come erano organizzati i contadini, della coscienza di classe e del partito comunista. Gli brillava negli occhi un residuo di felicità.

Avevano impiantato insieme la sezione del partito e l'avevano fatta crescere. Restavano in sede fino a tardi per aiutare i contadini con le pratiche che non erano in grado di sbrigare. Una richiesta di pensione, una sovvenzione dal Consorzio, un sussidio di povertà.

Rocco arringava i contadini nelle piazze dei paesi, insegnava alla scuola serale, si dava da fare per le terre e spesso, di notte, si svegliava all'improvviso.

Al partito, dopo l'iniziale diffidenza, avevano aderito in molti, soprattutto braccianti, e poi, in breve, tutti i fratelli di Mimmo. Candida e Colino si ritrovarono la casa piena di comunisti.

A pranzo ormai non si parlava che di manifestazioni e direttive di partito, il *Manifesto* di Marx ed Engels si annidava in mezzo ai gomitoli di cotone sulla macchina da cucire, e Candida, passando, lo copriva furtivamente. Donnarcangelo aveva rifiutato di benedire la casa per Pasqua, e inveiva dall'altare fino a diventare paonazzo contro le malefatte del comunismo, facendo nomi e cognomi ed evocando visioni apocalittiche di cavalli bolscevichi che si abbeveravano nella fontana del Vaticano.

Candida dava tutta la colpa a Rocco, che aveva portato i suoi figli sulla cattiva strada, a cominciare da Mimmo che era sempre stato un credulone. I figli ridevano, l'abbracciavano e le dicevano che le volevano bene.

Colino si rifugiava nella sua sordità ovattata e intanto aveva iniziato a disertare la chiesa perché non gli piaceva che qualcuno parlasse male di chi portava il suo nome. Un po' alla volta anche Candida si rassegnò e accettò il comunismo dei figli come un tempo aveva accettato che si sbucciassero le ginocchia e si strappassero i pantaloni.

L'inverno del '49 fu freddo e pieno di speranze. La vittoria della democrazia cristiana alle elezioni del '48 aveva fatto aumentare la rabbia dei militanti, e in Basilicata continuava l'occupazione delle terre. In sede, i braccianti mormoravano con sorriso furbesco: adda vení Baffon... A carnevale di quell'anno, a casa di Candida e Colino si mise ballo.

L'idea era stata di Mimmo, per festeggiare il buon esito dell'occupazione delle terre. Il governo De Gasperi, messo alle strette, aveva deciso che gli appezzamenti incolti sarebbero stati assegnati ai braccianti, cosa che avvenne infatti l'anno dopo.

In realtà Mimmo aveva per quel ballo anche delle aspettative sue private, due piani segretissimi. Uno andò in porto, l'altro no.

Alla festa partecipò anche Alba, che era tornata dal collegio l'estate precedente. Fu la sua prima apparizione in pubblico, perché per tutti quei mesi se n'era stata chiusa in casa, rifiutandosi di andare a passeggio dietro il muro con le ragazze della sua età. Trascorreva le giornate nella stanza sotto l'arcuofolo, dove dormiva insieme all'ormai benevola e sorridente nonna Albina, e ai ritratti dei morti coi lumini accesi. Il pomeriggio sfogliava i numeri di *Vogue* che si era portata dal collegio fino a impararli a memoria. Il resto del tempo l'occupava con la trigonometria.

Un giorno aveva raggiunto sua madre in cucina. Mentre Candida, in ginocchio sul focolare, scuoteva le pignate per girare i ceci, le aveva detto a bruciapelo che non si voleva sposare. Voleva andare all'Università. Facoltà di matematica.

Candida era stata presa in contropiede. Una femmina, all'Università... e che ci siamo giocati il cervello? Ma mentre diceva quello che andava detto, di non ripeterlo nemmeno per scherzo, che non stava né in cielo né in terra, che l'avrebbero presa per pazza o per puttana, l'idea la conquistava a sua insaputa, stuzzicandone il vecchio amore per le novità. Sarebbero stati la prima famiglia del paese a far studiare una femmina! Alba le mostrò la lettera firmata Professoressa Rosa Invernusi. C'era scritto che Fortunato Alba eccelleva in matematica e si raccomandava di farle continuare gli studi.

Eccelleva, bella parola...

Candida ne parlò con suo marito. L'Università, gridò per farsi sentire, ma non cosí forte. A Colino l'idea era sembrata né piú né meno che una delle tante bizzarrie di sua moglie, quelle su cui non si interrogava piú da tempo, e come al solito le aveva dato carta bianca. Ma un ostacolo imprevisto si frappose fra Alba e gli studi di matematica.

Qualche anno prima, Mimmo aveva letto con entusiasmo su Avanguardia Proletaria il discorso di Togliatti sulla tradizionale arretratezza delle masse femminili, nel Sud d'Italia, soprattutto, e sulla necessità della loro emancipazione, ma che sua sorella andasse all'Università gli sembrò davvero troppo. Per il suo bene, in qualità di fratello maggiore, pensò che avesse il dovere di scoraggiarla, e cosí fece, tentando di trasmetterle il senso del ridicolo che si sarebbe attirata addosso con una scelta tanto azzardata. Cosí stavano le cose al momento della festa.

Alba partecipò al ballo indossando il vestito di taffettà color prugna che si era fatta fare l'anno prima quando sarebbe dovuta andare in villa da Gioia. Le andava piú stretto che mai. Poteva a stento respirare, ma le metteva in evidenza il seno pieno e la vita minuscola, la piú sottile che mai si fosse vista a Grottole.

Si era seduta in un angolo della sala, guardando con aria scontrosa le coppie che ballavano la tarantella. Aveva ballato una sola volta, per forma, col fratello Mimmo che le aveva pestato i piedi dall'inizio alla fine, e aveva rifiutato tutti gli altri inviti. Aveva paura che quei giovanotti le alitassero in faccia il loro fiato odoroso di aglio o di cipolla, mentre saltellavano in quella danza da selvaggi.

La festa si era subito scatenata, deliziando alcuni e tormentando altri, deludendo aspettative e propinando sorprese, e facendo viaggiare gli sguardi piú veloci dei piedi e i pensieri piú veloci di tutto.

Da quando si era trovata nella necessità di mantenere i figli agli studi, Candida aveva rispolverato l'abitudine inaugurata con Cicia di prendere in casa pensionanti dell'altitalia, giovani maestre con l'aria mogia e altezzosa di regine spodestate, che riempivano le stanze col loro accento forestiero e a volte col profumo a buon mercato di cui si aspergevano generosamente. Si depilavano le gambe e le ascelle, facendo fare strane congetture alle donne del posto che alla fine, con malcelata invidia, liquidavano la pratica come un'usanza da prostitute.

All'inizio le forestiere se ne stavano rinchiuse nelle loro stanze anche durante i pasti, cercando di evitare il piú possibile la popolazione locale. Ma quando finalmente si decidevano a prendere parte alle tavolate di Candida, e si trovavano immerse nella rude allegria dei suoi sette figli, circondate dai loro occhi neri e dolci, dalle loro spalle robuste, dal profumo di pulito delle loro camicie stirate col ferro a carbonella, riacquistavano il sorriso.

In genere nel giro di una settimana, che fossero brutte o belle, alte o basse, giovani o attempate, Mimmo si era perdutamente innamorato di loro, indovinando in ognuna, se per caso non aveva grandi attrattive fisiche, un'anima sensibile e un cuore delicato, che descriveva a Rocco con trasporto, mentre scivolavano su e giú nella piazza con le mani dietro la schiena, nei ritagli di tempo lasciati liberi dall'attività politica.

Qualche settimana era il tempo che ci mettevano anche loro, un po' piú un po' meno a seconda del carattere, per cuocersi di Vincenzo, che non scriveva poesie in loro onore come faceva Mimmo, né era bello come Cataldo, o affettuoso e servizievole come Francesco, ma forse proprio per queste mancanze risultava irresistibile. Con una delle sue occhiate oblique le fulminava, e in genere quando Mimmo si decideva dopo mille tentennamenti a dichiarar loro tutto il suo amore, lui se le era già portate a letto e le aveva abbandonate.

Mimmo finiva col diventare il confidente delle loro pene amorose, con grande irritazione di Candida che iniziava a non sopportare piú né loro né Vincenzo né tanto meno Mimmo, e si dava da fare finché si decidevano a chiedere il trasferimento e ne arrivava un'altra. Quel giorno era il turno di una pesarese che si chiamava Guglielmina, coi capelli a onda e le caviglie da carabiniere, per la quale Mimmo scriveva versi di infocata tenerezza. C'era anche Clelia, la figlia di Cicia, che era rimasta in grandi rapporti di amicizia con Candida, con la quale si scriveva settimanalmente anche se non si erano mai piú viste da quando era partita.

In compenso Clelia trascorreva da Candida tutte le estati fin da quando era piccola, liberando temporaneamente la madre dal suo ingombro. Era una biondina con l'aria insignificante e gli occhi cerulei, di cui tutti si scordavano. Si muoveva raso i muri, parlava solo se interrogata e in quel caso ripeteva qualcosa che aveva sentito dire a qualcun altro. Vestiva gli abiti castigati che le imponeva il padre militare, con le maniche lunghe fino ai gomiti e i capelli raccolti in due trecce intorno alla testa come da tempo non si usava piú. A sedici anni aveva ancora il torace piatto e un'aria da bambina che non sarebbe mai cresciuta.

Forse in virtú dell'amicizia che l'aveva legata a Cicia, ricordandosi le risate che si facevano insieme e i denti scintillanti di sua madre, Candida stravedeva per Clelia. L'amore che non aveva mai saputo dimostrare a sua figlia, lo riversava sulla figlia dell'amica. Se la portava sempre attaccata alle gonne, era pronta a giustificarla qualunque cosa facesse e a lodarla senza nessun motivo. La riempiva di smancerie che irritavano Alba e la costringevano a vendicarsi. Visto che doveva portarsela sempre appresso, trovava ogni occasione per vessarla, umiliarla e poi abbandonarla da qualche parte, disposta per questo anche ad affrontare le sfuriate di sua madre, che poi si affrettava a consolare quella gattamorta con baci e moine che facevano infuriare Alba ancora di piú.

Clelia adorava Vincenzo fin dai tempi in cui, lei bambina lui ragazzo, giocando a nascondino si acquattavano insieme negli anfratti e si toccavano nell'ombra. Nelle pause delle sue avventure Vincenzo corrispondeva volentieri a quell'amore senza pretese che lo accompagnava nel tempo.

Quella sera Vincenzo ballò con Guglielmina una polka e una mazurka, poi sparirono insieme. Mentre Mimmo li guardava con la morte nel cuore, Clelia restò a fare da tappezzeria, senza mostrare a nessuno il suo disappunto, anche perché non c'era nessuno che se ne preoccupasse.

Ma c'era qualcun altro che non ballava. Nel frastuono crescente della stanza, Rocco se ne stava in un angolo a discutere con aria grave di politica. Le coppie gli sfrecciavano davanti, a volte gli pestavano i piedi, ma lui non se ne accorgeva. Parlava della necessità, una volta che le terre fossero state ottenute, di creare delle cooperative per lavorarle. In questo il partito avrebbe dovuto assumere un ruolo guida, non limitarsi unicamente alle battaglie per ottenerle. A Reggio Emilia, perdio, le cooperative funzionavano. Bisognava superare la mentalità chiusa che c'era giú, l'individualismo. Rinnovare l'agricoltura, piantare a rotazione, non solo il grano che su un podere piccolo impoverisce la terra. E poi lassú in Emilia la gente abitava in campagna...

A turno, c'era qualcuno che lo ascoltava rispettosamente, perché era il maestro, diceva cose importanti che loro capivano a stento e parlava in italiano senza che mai gli scappasse una parolaccia. I suoi interlocutori cambiavano e lui nemmeno ci faceva caso, infervorato com'era dal discorso. Si fermava un attimo, poi riprendeva dove aveva interrotto.

Quando Bruno Arpaia che suonava l'organetto si stancò, Mimmo fece andare il vecchio grammofono. Sfogava la delusione girando con zelo la manovella e mise su un valzer. Pochi lo sapevano ballare, giusto qualcuno che l'aveva imparato al servizio militare. La sala si sgombrò, mentre la gente accaldata beveva un bicchiere o mangiava un tarallo.

Le note del valzer si introdussero nelle analisi politiche di Rocco portandogli un'ondata di ricordi cari e dolorosi. Interruppe il discorso sull'istruzione obbligatoria e si alzò guardandosi intorno in cerca di una via di fuga.

Vide Alba seduta contro il muro, e solo allora si rese conto che la sorella di Mimmo era cresciuta. Non la vedeva da quando, bambina, gli aveva disegnato sul braccio un orologio imperlato di sangue coi suoi dentini acuminati. La invitò a ballare.

Si rivolse a lei in perfetto italiano, e forse fu il motivo per cui Alba non disse di no. L'aveva notato fin dall'inizio per la sua aria fuori posto, che le era sembrata segno di distinzione. Lui le cinse la vita, che aveva cosí sottile, col palmo aperto della mano alla base della schiena, e iniziarono a volteggiare, scivolando leggeri fra le coppie impacciate.

Mentre ballavano, Rocco raccontò ad Alba il viaggio che aveva fatto a Parigi tempo prima, insieme a suo fratello Mimmo, per mantenere la promessa che si erano fatti da ragazzi. Tre giorni di viaggio sul pullman per arrivare e tre giorni di grandeur nella capitale. Avevano visto la Tour Eiffel. "Coupé, coupé", aveva fatto un signore con un gesto drastico della mano, quando avevano chiesto dove si trovasse la Bastiglia. Parigi. La città di *Vogue*...

Lei parlava di meno. Disse con ritrosia che era stata in collegio e che le piaceva la matematica. Rocco non ci diede peso. Era commosso dalla sua leggerezza.

Dietro il grammofono, Mimmo girava la manovella soddisfatto. Le altre coppie pian piano smisero di ballare e si fermarono a guardarli.

Un due tre...

Che femminilità.

Un due tre...

Gli sembrava di avere fra le mani qualcosa di fragile e prezioso.

Un due tre...

Forse era di quello che avevano parlato? Era quello l'amore?

Un due tre...

La perfetta estraneità del suo mondo lo catturò.

Un due tre...

Era stato a Parigi. La città di *Vogue*...

I vasi di fiori sui muri che girano, nel 1950 con la legge stralcio n. 845/50 assegnarono le terre nei comuni di Montescaglioso, di Irsina e di Grottole.

I piedi si incrociano, il sogno di Rocco si avvera: sui poderi assegnati lo stato fa costruire le case coloniche, ma i contadini non vogliono allontanarsi dai paesi, e nei poderi piantano il grano, come hanno sempre fatto.

Si alza la polvere. Un'anima inquieta si aggira per il Meridione destando sospetti da tutte le parti: Adriano Olivetti. Fa caldo. Olivetti finanzia una comunità modello a Corleto Perticara. Compra gli attrezzi, salaria i lavoratori, fa costruire le strade.

L'aria è calda, piena di vapore, irrespirabile, il vestito stringe. Olivetti ha sospeso i finanziamenti, la cooperativa adesso può diventare autonoma. E che so fesso, devo lavorare senza essere pagato? I braccianti non ne vogliono sapere. Dopo essere uscito dal partito comunista, nel '56, Rocco gestisce il centro Comunità di Grottole, che presta libri ai contadini. Dedica a questa attività ogni minuto libero, durante i suoi primi anni di matrimonio.

Un due tre, un due tre...

Ma com'è che non viene mai pulito?

Il tempo incalza. Olivetti scende in politica, avversato dal partito comunista. La sede di Comunità è deserta. A Corleto Perticara crescono le erbacce.

Un due tre...

Le terre della riforma fondiaria sono quasi tutte abbandonate, i contadini diventati operai nelle fabbriche di Torino e in Svizzera, o minatori in Belgio e in Francia. Adriano Olivetti muore da solo, mentre viaggia verso la Svizzera, in treno.

Tempo e controtempo. Due e tre. Due e tre. Un due. Mara si allontanò, stretta nel suo cappotto. Un trasporto nuovo, una passione accorata, fatta di incomprensione e di inganno. Una diversità irriducibile, i suoi fianchi spigolosi e le sue ossa appuntite, il suo seno pieno, la sua vita di vespa e il collo lungo, gli occhi brillanti come carboni.

Tenti amori piú facili e piú allettanti, che piano piano ti scivolano addosso perché non ti appartengono. Questo amore lancinante alla fine risulta piú forte. Come puoi amare ciò che piú di ogni altra cosa ti fa soffrire? Forse puoi, se quella cosa ti appartiene, e tu le appartieni, ma prima tenti di sfuggirle in tutti i modi. Come puoi non amare ciò che ti ha fatto nascere?

Il valzer si faceva vorticoso. Rocco stringeva Alba e girava, sentendo la pesantezza del suo cuore alleggerirsi nella danza. Alba muoveva i piedi e si sentiva mancare il respiro. Forse era questo l'amore di cui parlavano le sue compagne, di cui parlava Gioia nelle ore di ricreazione, quello che sarebbe arrivato senza dubbio per ognuna di loro a un certo punto della vita, l'appuntamento irrinunciabile, quello che si riconosce a prima vista senza possibilità di sbagliarsi, che ti prende, che ti solleva, sí forse era questo l'amore che ti lascia senza fiato. Il vestito stringeva, la testa girava, le pareti della stanza, i vasi di fiori superstiti che il suo bisnonno aveva fatto dipingere sui muri schizzavano dappertutto lasciando scie colorate verde pistacchio e rosa petunia e a un tratto fu tutto nero.

Rocco si ritrovò Alba fra le braccia, abbandonata e leggera come una bambola di pezza. Decise in quel momento che l'avrebbe chiesta in moglie.

*In mezzo a questa piazza*
*c'è una lepre pazza...*

## Capitolo diciassettesimo

La gravidanza di Alba trascorse in un dormiveglia popolato di sogni e allucinazioni. Fin dal secondo mese il medico le aveva detto di mettersi a letto se questa volta voleva avere qualche probabilità di conservare il bambino, e lei aveva dovuto obbedire. Se ne stava dalla mattina alla sera sdraiata in penombra, assaporando la freschezza delle lenzuola di pelle d'uovo che sua madre le cambiava una volta al giorno, e sentendo la pelle tendersi sulle ossa fragili spinta dall'interno con potenza. Le sue forze si esaurivano talmente in questo lavorio che la sua coscienza collassava. Lo prendevano per un segno di docilità della gestante, e facevano di tutto per evitarle qualsiasi scossone.

La casa era avvolta in un silenzio irreale. Rocco stesso ne era bandito. Quando rientrava per salutare sua moglie o per prendere un cambio di vestiti doveva muoversi in punta di piedi, rimbrottato a ogni movimento falso dalle donne che presidiavano. Sua madre Lucrezia, sua suocera Candida, sua cognata Ninetta, l'altra cognata Clelia, si aggiravano per le stanze bisbigliando con aria furtiva come masciare, impedendo persino al sole di penetrare fra quei muri, e cucinando brodini ristretti che cuocevano come pozioni magiche, succhi di colombini, di tacchino, di uccelletti appena nati strappati dal nido.

La sera Rocco andava a cena da sua madre, che finalmente aveva potuto riappropriarsene, e trascorrevano quel tempo in un totale silenzio, interrotto ogni tanto da Lucrezia che faceva qualche considerazione sul fatto che Alba, anche se avesse portato a termine la gravidanza, non sarebbe stata in grado di allattare il nascituro. Bisognava preoccuparsi di trovare una balia... Rocco l'ascoltava distrattamente e rispondeva a monosillabi.

Alba sognava. Luci colorate come non aveva mai visto in vita sua. Il corpo che le diventava enorme come una mongolfiera e si alzava in alto sulle colline grottolesi, con la gente che accorreva per guardarla e salutava con la mano. Sognava di diventare piccola come un cece e di imbarcarsi su un guscio di noce, come l'omino di qualche favola, e di attraversare avventure e sventure. Sognava l'essere che stava dentro di lei, ogni volta in una forma diversa: era un pesce, o una specie di dinosauro, come quelli che aveva visto illustrati sui libri delle elementari. Altre volte era una scimmia, o una bambina bellissima. Nel sogno, Alba tentava sempre di parlare con quell'essere, ma non ci riusciva mai. Sentiva che al mondo niente le era piú estraneo di quella cosa che le stava crescendo dentro.

Anche l'essere sognava. Deserti e siccità. Il mare che si apriva per lasciarlo passare. Montagne che franavano sotto i suoi passi. Paludi che volevano risucchiarlo. Passaggi dalla luce all'ombra e dall'ombra alla luce. Tutto, perché desiderava esistere.

Sognava una fame piú grande di lui, che divorava ogni cosa intorno. Un viaggio alla ricerca del cibo. Una terra tutta nuova. Lo invadeva la paura di non mangiare abbastanza, diventare sempre piú debole e morire. Il sogno, cosí, finiva. Lui succhiava il sangue di sua madre.

Certe volte si sentiva cosí stanco che avrebbe voluto ritrarsi e sprofondare in quelle pareti di morbida carne che lo avvolgevano. Avrebbe voluto essere di nuovo tutt'uno con loro, ma non era possibile. Doveva separarsi. E allora senza saperlo provava rancore per quell'ambiente che lo nutriva e lo respingeva, per sua madre. Un rancore sottile che cresceva insieme a lui.

Nei lunghi sogni che lo affaccendavano fino a spossarlo c'era una donna piena di rabbia e di impotenza che gli agitava il sangue. C'era un uomo spaventato che nascondeva la sua paura nel silenzio, e non sapeva piú chi era. C'era una risata che cominciava in sordina come i temporali estivi, e poi esplodeva prorompente e ricca. C'era il vento. Un venticello leggero, primaverile, che poteva diventare tutt'a un tratto secco e tagliente, e far cadere le foglie dagli alberi. C'era un'invidia tignosa, cosí grande che chiedeva un'occasione per esistere ancora. C'era una mansuetudine bovina, una malinconia struggente, occhi di uomini e di donne, frasi incomprensibili. Era una musica che si cercava e si disfaceva, una melodia appena abbozzata che Gioia avrebbe irradiato quando passava per strada, facendo girare i muratori sulle impalcature, e sarebbe tornata in mente a quelli che l'avrebbero incontrata anche quando di lei non si ricordavano piú.

Alcune immagini si imponevano con evidenza. Scene di vita di uomini e donne. Una ragazza ne bacia un'altra, piú giovane, di nascosto. La porta si apre. Una bambina golosa va nella cucina durante la notte e mangia fino a scoppiare: manteche, salsicce, capocolli. Poi per non farsi scoprire sostituisce la roba nel cesto con altra roba che prende dalla dispensa.

Un uomo deve attraversare il mare. L'essere non sa cos'è il mare, ma sa cos'è la paura. È quello che prova, per l'ignoto che lo aspetta.

L'essere sente un sapore di limone. Non sa cos'è il limone, ma ciò che è agro non gli è sconosciuto. Conosce la rinuncia e l'abbandono, il desiderio e la volontà.

Potrebbe essere tante cose, e ognuna di quelle cose è un inganno. Le sue cellule si sdoppiano e si riproducono, i sogni di sua madre lo invadono.

È una scimmia catturata da un olandese nella foresta africana. Un inglese l'ha importata dall'Africa per esibirla nei teatri londinesi con l'uniforme della regina Vittoria. Un professore universitario che l'ha comprata per studiarla se ne innamora, cosí la scimmia prigioniera conosce l'amore e la tenerezza.

Un sogno bislacco, inutile, non è quello che l'essere diventerà. Eppure qualcosa di quelle impressioni gli resta, non fosse altro che il senso di una possibilità perduta.

La via verso ciò che sarà è come un labirinto pieno di strade che non portano da nessuna parte. Tante possibili incarnazioni, approssimazioni piú o meno distanti. Eppure anche ciò che non è fa parte di lui. Impara a conoscersi per comparazione. L'identità è ciò che gli altri non sono. A volte invece sente che non c'è sostanziale differenza. Forme della medesima materia. O perlomeno differenze irrilevanti.

A un tratto sogna un orrore senza il quale non può esistere. Stermini, distruzione. Un orrore che si riproduce attraverso luoghi e tempi diversi. Lui è la vittima. E il carnefice.

Con pazienza dà forma alle domande che gli si presenteranno negli anni successivi. Domande alle quali non sempre troverà risposte.

Sa tante cose che dimenticherà nascendo. Un gigantesco spavento, una tormenta, una lotta estrema per la sopravvivenza, alla quale niente può sopravvivere se non la vita.

A volte un grande freddo lo colpisce. Un senso di vuoto, di nullità, di inesistenza. È come una lumaca che si ritira nel suo guscio, vuole smettere di esistere, o esistere altrove. Ma esistere altrove vuol dire non esistere. Deve accettare quello che è.

Alba si rigira nel letto, la fronte imperlata di sudore, sgomenta. Un'altra minaccia di aborto. Superata.

Le ore nella stanza passano lentamente, vuote.

Alba germoglia.

L'essere germoglia. Vive come le piante.

Intraprende il viaggio prima del tempo.

Il posto dove abita gli è diventato insopportabile. L'amore che lo nutre lo sta soffocando. È un amore troppo grande o troppo piccolo, un amore pernicioso al quale vuole sottrarsi come da un veleno.

Gli manca la terra sotto i piedi. Una voragine spaventosa, un cedimento che sentirà sempre, dentro di sé.

Il 15 agosto Alba entrò in travaglio. Le si ruppero le acque due settimane prima del tempo, mentre sulla Via Nuova passava la processione dell'Assunta. *Evviva Maaaria, Maaaria evviva. Evviva Maria e chi la creeeò.* La nenia delle donne lievitava nella luce abbagliante.

Da sua madre stavano apparecchiando per il pranzo di ferragosto. Uova sode e salsiccia per antipasto.

Fu Clelia ad assisterla. Aveva vinto da poco il concorso per diventare ostetrica a Grottole. Una corsa all'ospedale di Matera, quel giorno, sarebbe stata inutile.

Clelia, Clelia, gattamorta.

La bambina si era rannicchiata in una strana posizione. Sembrava un animaletto che non voleva farsi stanare.

Cleliastupidaincapace. Toglimi quelle mani da addosso, quelle mani di lucertola. Lasciami, non mi toccare.

Clelia estrasse la bambina. Era la prima volta che lo faceva. Le mani le tremavano, sudava piú lei della partoriente. Gioia ne riportò una lussazione all'anca che accompagnò tutta la sua infanzia. Alba ebbe finalmente un buon motivo per odiare la cognata.

## Capitolo diciottesimo

Ingoia. Inghiotti. Manda giú. Un altro, l'ultimo. Solo questo. Due giorni che non mangia, che dannazione. Mastica mastica e poi sputa. Fa pena a vedersi.

Alba disperata si protendeva col cucchiaio sulla figlia che la guardava col boccone appallottolato nelle guance gonfie come quelle dei criceti. Un po' d'acqua e ingoia. Anch'io quand'ero piccola passavo giorni e giorni senza mangiare. Piú non mangiavo piú non mi andava niente. Morirà di fame. Alba dimagriva a vista d'occhio, prosciugata dal tormento della sua impresa impossibile, tra i fumi degli anellini in brodo e delle fettine alla piastra, frullando sogliole, estraendo il nettare dal magro di manzo, inserendo a tradimento banane grattate nel succo d'arancia – ci sono i gemelli che si mangerebbero pure me, con quelle facce bianche e rosse, la benedica, mangiano anche il pane asciutto, sognano le manteche, e sulla carne si buttano come lupi, beati loro, oggesú, a me faceva schifo, e mia figlia peggio che peggio, non ne vuol sapere, è come me da bambina, me lo ricordo come se fosse adesso, meno mangiavo piú mi passava l'appetito. Morirà di fame. È troppo secca, che ti avevo detto. Una cosí che ti aspettavi? Tiene il verme solitario e la creatura mi hanno detto che non mangia, non è vero, ho portato l'uovo fresco non l'ha voluto, ha la pappina sua, l'omogeneizzato, il semolino, la crema lattea, io non capisco niente ma è troppo secca. Lucrezia si lamentava col figlio della moglie che si era scelto.

Malgrado l'inappetenza, Gioia cresceva vivace e birichina, croce e delizia di tutti quelli che l'avevano aspettata tanto a lungo. Issata sul seggiolone come su un trono guardava sfilarle davanti nonne zie e cugini, a volte vestiti in maschera, altre con smorfie buffe, giochi di prestigio improvvisati e infallibili, il topo di fazzoletto fatto da Mammalina che si animava fra le mani e scappava lungo l'avambraccio, il naso mozzato per finta, che si contorceva fra l'indice e il medio, la monetina che spariva e compariva nel pugno chiuso, la lepre pazza nella piazza del palmo della mano.

A chiamarla Gioia era stata sua madre, contro il volere di tutti, in ricordo dell'amica scomparsa e in segno di suprema distinzione, perché non voleva che sua figlia si mischiasse con le altre bambine del paese. Dalla compagna di collegio, avvolta nelle nebbie della nostalgia, le sembrava che avesse ereditato anche i riflessi ramati dei capelli, dimenticando quelli della zia Angelica che sulle foto non si vedevano, e negando la somiglianza con la nonna Lucrezia di cui avrebbe dovuto portare il nome.

Fotografia di Gioia in prima elementare: il grembiulino lindo perfettamente stirato, il colletto inamidato e una faccia da vagabonda, coi capelli raccolti in due codini talmente tirati che sembrano strapparle il cuoio capelluto. Intorno a lei bambine spettinate, con le uova dei pidocchi visibili nei capelli arruffati, gli occhi storti e le orecchie a sventola.

Quando Gioia crebbe un po', sua nonna Lucrezia le portava dalla campagna delle rondini con le ali e il becco mozzati. Le legava alla ringhiera del balcone perché si divertisse a vederle girare spaesate e goffe, facendo inutili tentativi di alzarsi in volo. Nel mese di agosto le portava le cicale, che bisognava mettere sotto un bicchiere. Suonavano finché non morivano asfissiate. E le lucciole, sul comodino, riempivano la penombra di una delicata luce verdognola.

A quattro anni fece scempio di una rondine sezionandola con le unghie. Sua madre la trovò che le frugava nella pancia. Gridò inorridita. Il vestito pulito, ora te l'ho messo.

Nei primi pomeriggi di primavera, quando il sole era caldo e l'aria ancora pungente, Alba metteva a Gioia certe vestine bianche tutte ricamate e inamidate e la portava a passeggio dietro il muro. Lí incontrava la sua amica Ginetta, anche lei prosciugata dalle fatiche della maternità. Lungo la strada si fermavano tutti a salutarla. La signorinella, la principessa... Le grosse femmine le davano baci appiccicosi sulle guance. Gioia si puliva furtivamente con la mano. I baci che piú rifuggiva erano quelli di sua nonna Lucrezia. Quei baci voraci, ripetitivi, che sembravano volersela mangiare.

Quando l'acchiappava Luigino la Ciminiera se la portava nella beccheria. Sul pavimento, pozzanghere di sangue. Appesi ai ganci, animali squartati. Capuzzelle con gli occhi opachi di terrore. Le offriva una caramella ricoperta d'argento, che se la sbatteva a terra faceva il botto. La mangiava un po' schifata. Dagli il bacetto. La pelle scura, odorosa di sangue.

Gioia in metropolitana. Sta lí seduta mentre la gente in piedi, appesa ai sostegni, oscilla pericolosamente rischiando a ogni scossone di caderle addosso. C'è una donna di colore con un vestito sgargiante e un bambino paffutissimo in una sacca. Due ragazzi arabi. Tre cinesi. Gioia non ci fa caso. Guarda un punto lontanissimo, distante anni luce da quella folla. Entra un mendicante. Gioia guarda seria il punto inesistente davanti ai suoi occhi, come ha imparato a fare da parecchio. Vive da un bel po' nella capitale. Non ha storia. Nessuno, intorno a lei, ha una storia.

Gioia correva nella bottega di suo nonno. Si pesava sulla basculla e misurava quant'era cresciuta, come avevano fatto prima di lei sua madre e i suoi zii. Giocava coi cristalli del solfato di rame, rimuovendoli con la pala, faceva scorrere fra le mani ruscelletti di grano o di lenticchie, accarezzava le stoffe e ficcava il naso nei corredi, che non erano piú quelli fatti a mano di un tempo.

Gli anni Sessanta a Grottole furono l'epoca d'oro del corredo.

Nel 1959 nella valle del Basento era scoppiata la bomba: avevano scoperto il metano.

Al Cugno del Ricco, durante le trivellazioni, il giovane ingegnere torinese trovò un oggetto tutto annerito. Lo pulí dal terriccio. Un orologio da taschino, con la cassa d'argento e due F incise sopra. Chissà di chi era, e com'era finito lí. Segnava le cinque e mezza.

L'anno dopo inaugurarono 32 pozzi, a Ferrandina, Salandra, Pomarico e Grottole. L'ultimo fu inaugurato proprio a Grottole, con una festa che durò tutta la notte. Venne l'orchestra, i saltimbanchi, il mangiafuoco, ma la vera attrazione fu una fiamma altissima, che deflagrò nel buio davanti agli occhi pieni di meraviglia dei contadini. Nella sua luce incerta, molti giurarono di aver visto la miseria che fuggiva finalmente dalle loro terre, come riportò un cronista della televisione venuto a documentare l'evento.

Fu allora che aprirono la Pozzi, l'Agip e l'Anic, e assorbirono manodopera da tutta la valle del Basento. Le terre ottenute con la riforma agraria furono presto abbandonate. Per la prima volta in paese cominciò a circolare la moneta, che i contadini promossi a operai investirono prontamente in ciò che piú rappresentava la continuità con la discendenza e il sogno di un futuro migliore: il corredo, appunto. Venne di moda la confezione e la bottega di Colino si riempí di scatole ordinatamente impilate negli scaffali. Invece della tela in tre pezzi, che bisognava cucire insieme per farne un lenzuolo a due piazze, si potevano comprare lenzuola fatt'e tutte, con sgargianti disegni psichedelici, realizzate in tessuti mai visti prima, tessuti liscissimi, libidinosi, che producevano, se sfregati, un allegro scoppiettare come di fuochi d'artificio, seguito da scintille. Vennero fuori in quegli anni, come tentativi abortiti sulla via dell'evoluzione, stoffe che vissero soltanto una stagione, simili al raso o alla seta, con nomi allettanti che contenevano almeno una y e qualche effetto collaterale che li eliminò per sempre dal mercato. Su tutto trionfò il Terital. Non si stirava, era indistruttibile, inalterabile, era petrolio puro!

Quando iniziarono a costruire il metanodotto per portarsi via il metano, dalla valle del Basento si alzò un grido. È nostro, non ce lo potete togliere! Rocco guidò l'insurrezione e decisero di sequestrare un tecnico della Snam, che venne portato a mangiare nella trattoria di Settecapozzole, di cui gradí la cucina, e liberato verso sera. Rocco pagò il conto di tasca sua, insistendo perché prendesse anche la crostata, mentre Alba, a casa, strofinava le piastrelle del bagno e passava la cera in camera da pranzo. Quella volta vinsero.

Il difetto all'anca non impedí a Gioia di prendere parte ai giochi degli altri bambini, ma le diede un pretesto per sottrarsi ogni volta che non aveva voglia di fare qualcosa, abitudine che le rimase per parecchio tempo. Fino a un certo punto della sua vita, quando poi incontrò Spiros, se ne andò sul piú bello da ogni situazione, lasciando tutto a metà.

Ma in quei primi anni Sessanta, ignara delle complicazioni in arrivo, razzolava nel terriccio con le bambine che abitavano sotto casa sua, in cerca di pietre brillanti. Si perdeva nelle stradine del «s'rretiedd», scavava tesori, accendeva fuochi.

Aveva un temperamento da kamikaze, fin da piccola: appena imparato a camminare si arrampicava con entusiasmo su ogni tipo di elettrodomestico – televisione, radio e lavatrice – cadendo puntualmente, per la disperazione di sua madre. Piú grande, si cacciava in ogni tipo di guaio, ricascandoci in continuazione, e trovando ogni volta una zia o una vicina disposta a consolarla. Candida ne accoglieva i pentimenti tardivi scuotendo la testa: quando metterai sentimento, a nonna?

Gioia mangiava la banana. Cos'è? La banana. Gioia mangia la banana e butta a terra la buccia. La bambina la raccoglie. E questo non lo mangi? È buono. Striscia i denti sulla parte bianca dell'interno. Molti emigravano in Germania, piú tardi a Torino.

Gioia era ammalata.

La tenevano chiusa in casa come in una serra, proteggendola dagli spifferi. Ma com'è che si ammala sempre?

Venne un medico biondo, con la barba come Cristo. Latte e miele. Nient'altro? Latte e miele, fa bene. Benissimo. Miracoloso. Latte e miele per la tosse. Latte e miele per il mal di pancia. Latte e miele per il mal di schiena. Curioso! Lo arrestarono a Grassano perché non aveva la laurea. Era tanto affettuoso, prendeva poco.

Venivano dei carretti per cambiare la plastica col rame. Bella la plastica. Colorata, igienica. Roba vecchia, buttiamola. Le callare di rame che si tenevano appese in cucina. I mobili vecchi. Via. Vogliamo la plastica, il nylon, il rayon, il moplen. Vogliamo le fabbriche. Clelia si tagliò i capelli e si fece la messimpiega.

Quando Gioia ebbe sei anni le tolsero le tonsille, perché era un pezzo di carne in piú che la natura aveva messo per sbaglio, ricettacolo di microbi e influenze. Per farle dimenticare il bruciore, la maschera con l'addubbio e la sedia coi legacci, Candida, sua nonna, passò tre giorni e tre notti a raccontarle favole senza smettere nemmeno un minuto.

*Catarina Catarina damm la jamm co tutt'a scat'lina...*
*Caterina Caterina dammi la gamba con tutta la scatolina...*
Ancora. Ora basta sono stanca. Quella dei barili solo quella. Sí ma poi dormiamo. Sí.

185

Le storie di nonna Concetta che era povera e di nonno Francesco che era ricco. La storia dei barili pieni di ducati che avevano trovato nel muro. E quant'era bella la zia Angelica. E la sarta che cuciva i vestiti che poi non potevi muovere le braccia. Gliele raccontava una volta, due, tre. Sempre le stesse, con una nuova variante, una sfumatura, una parola diversa. E ogni volta per Gioia si apriva una porta dalla quale poteva scapparsene per un po' senza che succedesse un putiferio.

Piú tardi le storie iniziò a cercarle nella carta stampata. Aveva messo le mani sulla biblioteca dello zio Mimmo, che era stata abbandonata in un armadio coi pomelli di vetro. Prese l'abitudine di leggere qualunque cosa le capitasse a tiro, dai romanzi di Dostoevskij al calendario di Frate Indovino.

Ti rovinerai gli occhi, si preoccupavano i visitatori che tutti i pomeriggi transitavano in casa di sua nonna, ma non c'era niente da fare. Aveva un'immaginazione altamente infiammabile e ognuno di quei libri era come un cerino che scatenava un incendio. Persa in foreste vergini o negli abissi marini, riusciva a non sentire le chiacchiere delle donne mentre sferruzzavano, in circolo nella camera da letto di Candida.

Quando Gioia entrava certe volte zittivano. Poteva cogliere soltanto qualche frase sibillina, che non riusciva a interpretare, ma le lasciava addosso un senso di intrigo e di segreto, come gli avvincenti romanzetti della zia Angelica, a cui sempre piú spesso mancava qualche pagina. Qui però c'era anche qualcosa di amarognolo che non le piaceva per niente. Ci mise un po' a capire che quelle frasi, quegli sguardi, quelle allusioni, erano indirizzati a un'unica persona.

Si è comprata gli stivali, avete visto?

La piú accanita era sua madre, che quando parlava di quel particolare argomento cambiava perfino tono di voce.

Era venuto uno che passava di casa in casa portando

quella novità, stivali alti fino al ginocchio, che schifo, io non me li metterei nemmeno se mi pagano. I pantaloni. Pantaloni a quadri che vergogna. Mio fratello è troppo buono per non dire un'altra cosa, quello solo una volta si è fatto valere e con chi, bella faccia, ecco con chi. Lucertola fracida che non si sapeva vestire, portava le maniche lunghe fino ai gomiti perché il padre non le permetteva altro, e adesso ha alzato la cresta si è tagliata anche i capelli, è matta, è scema lasciatela stare non le date retta si crede di essere chissà chi perché guadagna, e intanto la casa l'avete vista avete visto quanto tempo ci mette a lavare i piatti a lavare la roba a stenderla a spolverare, nemmeno sa che significa spolverare.

Della figlia non parlava, che a sentir lei gliel'aveva rovinata.

E tu non ti sporcare, stai attenta al vestito nuovo che ora te l'ho messo pulito, ti sei fatta una macchia, mi farai morire.

La persona di cui parlavano era la zia Clelia.

Era diventata un'altra dopo il matrimonio. Si era sposata con Mimmo qualche anno prima e aveva iniziato ad alzare la cresta un po' alla volta, fino a diventare tutto il contrario di quello che era. Tanto era stata taciturna, timida e insignificante, tanto ogni giorno che passava diventava piú eccentrica e strampalata, sempre pronta a sostenere qualche causa assurda, a dire il contrario di ciò che detta il buon senso, partendo in interminabili discorsi che le altre ascoltavano divertite, scambiandosi ogni tanto un'occhiata di compatimento dietro le sue spalle. Candida ogni tanto abbozzava una difesa d'ufficio, senza mai infervorarsi, perché era contrario alla sua natura, ma quelle pettegole delle nuore e della figlia ricominciavano subito dopo, come un fuocherello serpeggiante rimasto nelle braci.

Clelia raggiunse l'apice dell'impopolarità quando iniziò a prendere la pillola, perché diceva che non voleva altri figli oltre i gemelli, il suo lavoro non gliel'avrebbe permesso. Quei poveri figli sbattuti da una parte all'altra, abbandonati a se stessi, con quelle guanciotte ciccione tutte sporche. Ma com'è che mangiano e la mia no? La mia non mangia niente...

A casa della zia Clelia non c'era l'agghiacciante pulizia che regnava nelle altre case. I mobili col piano di cristallo senza un filo di polvere. I centrini inamidati. Il pavimento di marmetto passato con la cera e lustrato a specchio, scivolosissimo. I gemelli correvano pestiferi nel corridoio, senza paura di strisciarlo. Mangiavano imbrattando di sugo tovaglie e vestiti e lasciando cadere a terra le briciole, e se non avevano voglia di finire il piatto lo lasciavano a metà, ma non accadeva quasi mai, perché avevano una fame da lupi, e ingurgitavano qualunque cosa gli capitasse a tiro: detersivi, monete, ninnoli e gioielli... La loro nascita era avvolta nel mistero, come se vi fosse implicato qualche dio dell'Olimpo sotto spoglie animali.

Clelia parlava di cose che Gioia non aveva mai sentito dire a nessun altro. Nutriva una passione smodata per il bidet, che nominava almeno una volta in qualunque discorso, con gli occhi che le si accendevano come un'innamorata. Spiegava a Gioia come andava usato, mimando i movimenti a cavalcioni di una sedia e chiedendole di ripetere per vedere se aveva capito davvero. La domenica saltava la messa e pretendeva che il marito la portasse a passeggio con sé nella piazza. Mimmo avrebbe fatto qualunque cosa per accontentarla, ma su quello opponeva un ferreo rifiuto: già la gente parlava abbastanza... A casa si prestava anche a lavare i piatti, pregando in cuor suo che nessuno lo venisse a sapere.

Clelia chiedeva a Gioia pareri sui vestiti che si comprava, vestiti incredibili, pigiama palazzo, minigonna... Ho belle gambe vero? Gioia la guardava stupita, ma Clelia non si faceva smontare. Le chiedeva se voleva provarseli. Gioia diceva di no, poi se li provava e le scappava da ridere. Le piaceva stare con lei. Le sembrava, quando erano insieme, che le linee di separazione fra il mondo dei grandi e quello dei piccoli, fra quello delle donne e quello degli uomini, sfumassero fino a confondersi nelle fantasie psichedeliche delle sue camicette di rayon.

Alba cancellava le tracce. Puliva con furia come se volesse far sparire i segni di un delitto efferato. Cancellava le orme, le gocce d'acqua, le impronte digitali, i granelli di polvere, fino a rendere le superfici lisce e luccicanti, intonse come gli spazi lunari che aveva mostrato la televisione, prima che Armstrong ci mettesse piede.

Alba amava la luna. Quando il 21 luglio del 1969 la televisione trasmise l'allunaggio, la vista di quegli spazi dove mai piede d'uomo si era posato, dove non vigeva la forza di gravità e i corpi erano svincolati dalle necessità terrene, le fece pensare per un attimo che fosse quella la sua vera patria. Andava lí con la mente mentre puliva i mobili, strofinava le piastrelle, lavava i pavimenti, spolverava i soprammobili, uno spazio leggero confinante con l'infinito dove esistere senza emicrania, senza sporcizia, senza necessità.

Dopo l'inverno di impegni, il centro di lettura, la sezione, il circolo, il doposcuola per i ripetenti, le infervorate discussioni politiche che lo trattenevano in piazza fino a tarda notte e gli studi per il concorso da direttore che lo facevano svegliare prima dell'alba, quando arrivava l'estate Rocco portava Alba e Gioia per una settimana a visitare le chiese delle grandi città del Nord, esaminandole con minuzia, senza trascurare un capitello o una volta, e concludendo immancabilmente, dopo ore di esame, che con tutti quei soldi avrebbero potuto costruire chissà quante case per il popolo.

Quando passavano con la Volkswagen, a Grottole, i paesani si disponevano ai due lati della strada, un po' perché la strada era stretta, un po' per guardarli passare, e salutavano con la mano. Rocco spiegava con orgoglio che Volkswagen voleva dire macchina del popolo.

L'estate del 1968 la festa di San Rocco, quando tornavano gli emigranti dall'America, dalla Germania e dall'altitalia, fu particolarmente pietosa, con la banda degli orfanelli che stonava e gemeva nella piazza. Fu Cataldo a prendere l'iniziativa. Con un affronto inaudito a Donnarcangelo, da sempre promotore dei festeggiamenti, organizzò insieme a qualche amico e al fratello piccolo Francesco, una festa che non celebrava nessun santo, ma una divinità pagana e scandalosa: la gioventú. Mandarono a chiamare da un paese della Puglia Marilú e i suoi Dinamici. Marilú si presentò con una minigonna mozzafiato e degli stivali bianchi che arrivavano oltre il ginocchio mettendo in rilievo le cosce pienotte. Tolse il respiro a tutti i grottolesi.

Aprí lo spettacolo con la canzone *Ma tu vuliv a pizz*, che le fecero bissare sette volte. I giovanotti si affollavano sotto la cassarmonica, sgomitando per conquistarsi la posizione strategica, quella da cui si poteva intravedere un angolo di paradiso, le mutandine di nylon azzurro di Marilú. Negli anni a venire, già nell'altro millennio, non ci fu orchestra a cui non venne chiesto di suonare *Ma tu vuliv a pizz*, ma nessuno piú la suonò come quella volta.

1969. Grande movimento popolare. Posti di blocco dappertutto perché la valle del Basento è stata esclusa dai finanziamenti Cipe per l'industrializzazione. Le fabbriche, vogliamo le fabbriche. Basta con l'emigrazione. Siamo stuffi, diceva un cartello. Fu l'ultima azione a cui Rocco partecipò, ma lui in quel momento non lo sospettava e si preparava a celebrare la nascita della classe operaia in Basilicata.

La domenica le donne andavano a messa anche se non ci credevano. Gli uomini andavano in piazza, poi al circolo. A volte veniva il comizio. A tre anni Gioia imparò a dire "adda vení baffone" col pugno alzato, a sei fece la prima comunione vestita come una piccola sposa, a sette bordò il suo primo fazzoletto a chiacchierino e lesse due o tre volte le favole di Gramsci, *L'albero del riccio*, che le aveva regalato suo padre. A otto anni insieme alla nonna sostò a lungo, un giorno, davanti al Cristo deposto.

Nonna, ti devo dire un segreto. Cos'hai combinato, bella mia? Io niente, ma credo che dio non esiste. Ecco qua, pensò Candida, facendosi il segno della croce e pregando per l'ennesima volta il suo amico Cristo di allontanare i problemi che vedeva in arrivo. Ma lui quella volta doveva essere distratto, o stanco.

Zzzzzzz Zzzzzzz Zzzzzzz. Un rumore di elicottero. Il coleottero verde col filo legato a una zampa che gira, gira, gira. Mi fai provare? No no e no. Peggio per te. So una cosa e non te la dico. Cosa? Non te lo dico.

Primavera. I bambini hanno fatto un'ecatombe di uccellini. Hanno abbattuto i nidi sotto le grondaie. Gli uccellini implumi coi becchi enormi, gialli. Stasera li faremo fritti. No. Non voglio. Sono piccoli piangono. Ma smettila. Stupida. Non voglio non voglio. Se non li vuoi non li mangiare. Gioia pianse tutta la giornata. Grossi singhiozzi che la spossavano. Una valanga di tristezza. Verso sera si diffuse nella casa l'odore degli uccellini fritti, penetrando in ogni stanza, anche quella dove Gioia se ne stava abbracciata alla bambola parlante che le avevano regalato quando si era tolta le tonsille. Odore malefico, stuzzicante, irresistibile. Piccoli, piangevano. Lo assaggio anch'io. Li mangiò quasi tutti lei, con un gusto tremendo, fra le lacrime.

## Capitolo diciannovesimo

All'età di nove anni Gioia scoprí che la terra promessa esisteva, e non si trovava, com'era scritto nella Bibbia, alle fonti del Tigri e dell'Eufrate, ma a meno di cento chilometri dal luogo in cui era nata, sulla costa pugliese.

Dopo averlo rimandato per anni, preso com'era dall'attività politica, Rocco aveva finalmente vinto il concorso per diventare direttore didattico, e fra le sedi disponibili la scelta era caduta su Monopoli, dove Alba aveva frequentato il collegio e dove c'era ancora una parte della famiglia di Colino, un ramo un po' disgraziato, pieno di figlie dai nomi di regine che avevano sperperato insieme ai loro mariti tutto il patrimonio messo insieme con tanta fatica da Minguccio u Mercial. Le poche visite che si scambiarono servirono soltanto a produrre una valanga di aneddoti e imitazioni, che si aggiunsero per anni alla confusione dei pranzi di Pasqua e di Natale, quando tutta la famiglia si riuniva a Grottole. Non li frequentarono mai, dopo le visite iniziali richieste dall'etichetta, ma la loro presenza diede l'idea che non fossero in un posto sconosciuto.

A Monopoli gli alberi di olivo non sembravano braccia scheletriche contorte nella sofferenza, il sole non bruciava, la campagna non aveva sete. C'era il mare, gli scogli, le spiagge. Le donne avevano vestiti colorati. C'era il treno.

Torniamo domani? A bocca aperta dietro il passaggio a livello. Tu comportati bene, poi vediamo. Nella nuova casa c'è l'ascensore. Gioia lo prende ancora una volta fino al quarto piano, poi scende a piedi. Ha finito le dieci lire.

Rocco non andava piú in piazza a parlare di politica fra uomini, e meno che mai ne faceva. La politica adesso era un'eco lontana, un argomento di conversazione che nei salotti buoni veniva travolto da mille altri, organizzazione di gite, vacanze e cene, un buon proposito di quelli che lastricano la strada dell'inferno, affogato nella bonomia dell'opulenza. Solo di notte a volte si svegliava con certi pensieri che poi di giorno sparivano senza lasciar traccia.

Rocco e Alba uscivano insieme, con altre coppie della loro età. C'erano pranzi, cene, ricevimenti dove servivano tartine e vol-au-vent ordinati al Gran Caffè. Per pagare, tutti si facevano avanti e litigavano, certe volte venivano quasi alle mani. Andavano a Bari a comprare i vestiti e le scarpe e tornavano la sera coi piedi doloranti e le buste piene. D'estate andavano al mare e d'inverno al cinema: *Piedone lo Sbirro*, *Anonimo veneziano*, *Amarcord*… Ma Amarcord che vorrà dire, tu lo sai? Si divertivano, vergognandosene come ladri, perché avevano sempre pensato che il divertimento fosse una cosa permessa e circoscritta a un'unica stagione della vita, il passaggio dall'adolescenza alla prima giovinezza, quando l'uomo cerca moglie e la donna marito.

Alba osservava tutto con diffidenza, diceva sempre no quando le proponevano una cosa per la prima volta, e alla fine si tuffava in quelle novità con l'entusiasmo di una bambina. Imparava nuove ricette, ma quante ce n'erano? L'insalata di mare. Gli allievi. La pasta alla sangiovannella. Ci hai messo i capperi? Nelle notti d'estate, nelle case di campagna dei loro nuovi amici, ballavano. Prima il mangiadischi, poi il professor Cavallo che suonava il mandolino e le coppie che si allacciavano nel tango: changez la dame… Intorno, gli olivi avevano tronchi tanto grossi che un solo uomo non poteva cingerli con le braccia e nel terreno grasso cantavano i grilli. Le ciliegie, nelle cassette che arrivavano in regalo, erano grosse come sorbe. Arrivavano sacchi di mandorle, barattoli di capperi, coppe di fichi d'India succosi. Un'arancia fondente, assaggiatela, sono buonissime. Mi ha dato la ricetta una paziente di mio marito, la moglie del segretario, quella signora tanto garbata... Alba usciva anche da sola, o con le amiche.

Un pomeriggio di pioggia Alba era andata a prendere Gioia alla lezione di pianoforte che faceva disperare entrambe, Gioia perché non ci voleva piú andare, Alba perché voleva per forza che ci andasse. Ora, per ricompensa, poiché Gioia si era convinta a continuare almeno un altro mese, la stava portando al cinema. Un film che l'aveva fatta tentennare, forse non proprio adatto per la sua età, ma Gioia aveva insistito e lei aveva voluto accontentarla, una storia d'amore senza lieto fine, due operai in una fabbrica, con Giuliano Gemma e la Sandrelli... Si era informata per telefono che non ci fossero scene spinte, perché ormai non si capiva piú niente, tempo prima lei e suo marito erano andati a vedere un film dal titolo romantico, pieno di promesse non mantenute: *Ultimo tango a Parigi*. Erano usciti dal cinema senza nemmeno fermarsi a vedere l'inizio, con gli occhi bassi, che non sapevano piú dove guardare. Ma c'era bisogno dico io?

Nella confusione della pioggia, adesso, Alba era andata quasi a sbattere su una signora elegante, con la pelliccia. Da quelle parti gli inverni erano miti e la pelliccia era una forzatura, ma le signore per bene la portavano. Alba aveva sgranato gli occhi ed era trasalita come se avesse visto un fantasma. Lei e la signora si erano guardate, restando per un attimo in un silenzio sospeso. Nei loro occhi erano passati molti anni. Poi avevano detto contemporaneamente: Sei...

Si erano fatte un sorriso. Imbarazzato. Di nuovo un silenzio, come se non sapessero cosa dirsi. Questa è mia figlia, aveva detto Alba spingendo avanti Gioia. Piacere, io sono Gioia, aveva detto la signora. E tu?, aveva chiesto

Alba. Ne ho due, un maschio e una femmina, piú grandi. Quella notte... disse Alba all'improvviso, ma poi non continuò. Sí? – chiese l'altra, ma Alba aveva ormai deciso di non aggiungere piú nulla. Arrivò un signore piú anziano. Mio marito. Piacere, piacere. Una vecchia amica. Allora ci sentiamo. Non lasciamo passare tanto tempo, capito? Anche il resto della famiglia. Se n'era andata lasciandosi dietro la scia del suo profumo.

Fra quelle case imbiancate a calce punteggiate dalle cupole moresche, in prossimità della marina, Gioia aveva smesso molto presto di essere la bambina terribile che era stata a Grottole. Dopo la quarta operazione non zoppicava quasi piú, beccheggiava come una barchetta, ancheggiava, ormai era quasi solo un vezzo nel camminare, e rinforzava i muscoli con la ginnastica correttiva. Il professore palpa il suo corpo adolescente per spiegarle il lavoro che c'è da fare. Intanto le spuntano le tette, belle, rotonde e dure, e le contempla a lungo, ogni domenica mattina, nello specchio mezzo appannato dal vapore del bagno.

Rocco e Alba avevano per la figlia sogni personali e segreti, che non coincidevano. Lui l'immaginava all'Università, professoressa, a Parigi quando era in vena di grandeur, desiderio esternato unicamente con l'acquisto di un corso di francese in 45 giri: le premier jour d'école est toujours une aventure... Ad Alba sarebbe piaciuto vederla, un giorno, su un palcoscenico, vestita da sera, al pianoforte, ma Gioia non ne voleva sapere di starsene seduta a studiare tutto quel tempo. Alba allora si consolava pensando che le sarebbe toccato ciò che lei stessa aveva avuto e ciò che era giusto che avesse: il matrimonio. E dei figli. Cosí era stato per sua madre e sua nonna e cosí sarebbe stato per lei.

Fino a un certo punto, Gioia cercò di adattarsi a quei sogni, come i suoi genitori, un tempo, ai vestiti che cucivano per loro i sarti del paese. Ma sfoggiava un nome nuovo ogni settimana perché il suo non le piaceva, continuava a diffidare delle minestrine della madre e a riporre nelle parole di suo padre una fiducia che quasi niente, ancora, aveva scalfito.

Certi giorni Rocco appariva distratto. Pensava a sua madre, Lucrezia. A Natale la convinse a venire da loro. La obbligò, quasi. Lei non voleva muoversi da Grottole. Andò a prenderla un pomeriggio di cielo coperto, le piombò in casa senza avvertire, mise in una borsa il suo unico vestito di ricambio, chiuse la porta con la vetrinetta e la portò via dalle sue beghe, dalle liti coi vicini e dagli scherzi dei bambini, determinato a darle la felicità che le spettava di diritto. Le fecero il letto nello studio. Lucrezia passava la giornata seduta su una sedia, immobile, voltando le spalle alla finestra da cui si vedeva il mare. Avvolta nello scialle marrone, le scarpe bitorzolute che spuntavano sotto il vestito nero, sembrava un albero sradicato.

Gioia immerge le mani nel fosso che sta scavando sul prato vicino alla spiaggia. Lei e le sue amiche del cuore, Porzia e Madia, hanno piantato fiori di cipolla bellissimi e puzzolenti e li innaffiano con l'acqua marina. Quando seccano non c'è tempo per rattristarsi. Hanno fatto un patto: verranno a vivere qui, nella masseria abbandonata, tutt'e tre insieme, appena sposate. Gioia aveva conosciuto il suo primo amore. Un biondino con gli occhi dolci e la moto Morini che per un anno, inutilmente, aveva cercato di dirle che voleva baciarla.

Lui la stringe. Ballano il lento sul tema del *Padrino*. Le sussurra all'orecchio che deve dirle qualcosa. Sembra sul punto di lanciarsi da un trampolino. La pelle è cosí calda che vaporizza nell'aria l'odore di bucato della sua camicia di cotone bianco e quello di cipria del profumo in crema di lei. Cosa volevi dirmi? Unica risposta, il suo respiro. Dei brividi tiepidi le scendono giú dal padiglione auricolare fino alla base della spina dorsale, facendole credere che la felicità sia eterna. Lui la stringe piú forte. Non riesco a indovinare. La voce ha toni sempre piú bassi. Perché non me lo dici per telefono? Si era divertita a tenerlo sulla corda. Troppo. Perché quel bacio non se lo diedero mai.

*O sorcio mí pelat e si mort nda la pignata.*

# Capitolo ventesimo

Il 16 marzo del 1978 circolò la notizia che Aldo Moro era stato rapito. Gioia si trovava in quel momento sulle scale del Liceo Ginnasio E. Duni di Matera, per la ricreazione. Chiese di ripetere, non ci credeva. Anche gli altri pensarono a uno scherzo, invece era vero. Gioia fu presa da un'euforia un po' funesta, come se le regole fossero cambiate all'improvviso senza che nessuno l'avesse detto, anzi non ci fossero piú regole, e qualunque cosa fosse diventata possibile. Provò un senso di smarrimento e di potere. Rise, mentre suonava la campanella che segnava la fine della ricreazione. Rientrò in classe a malincuore, ma non ci stette molto, perché dopo poco la bidella venne a chiamarla.

Come? Ma quando, dove? Chi l'ha detto?

O frat mí, o frat mí. O frat míííííí.

Nel salone con le volte ornate di fiori era esposta la salma di Colino. Fin dal mattino tutto il paese ci sfilava davanti, e le donne si scapellavano e raccontavano episodi della sua vita battendosi il petto.

O frat mí, o frat mí, quant'era buono, quant'era bravo, quante me n'hai fatte, o frat míííííí. Quell'anno, quell'anno disgraziato che gelò a maggio, venni alla bottega e ti cercai i ceci e la farina che non tenevo faccia e tu me li desti e non dicesti niente, niente dicesti cumba Colí, e poi ti dissi cumba Colí, tengo a Lucietta mia ca fasc zit', e quando gliela voglio fare la dote a quella figlia, quando gliela devo fare che resterà zitella, zitella deve restare, e tu mi dicesti statt citt, statt citt, statt citt mi dicesti, che non ti voglio piú sentire, lé lé, levat d'annanz, mo ti devi levare, e mi hai tagliato la tela per le lenzuola e per la parure, tié pigghiatill e vattin, pigghiatill e vattin, che non ti voglio piú sentire. Eri buono, eri buono assai cumba Colí. Lucietta teneva già tre figli, tre figli teneva benedett'iddio quando ci siamo tolti il debito, e chi se lo può scordare, chi se lo deve scordare ca cur u padretern non ne fa una dritta, doveva prendere a qualche notun, a qualche notun si doveva portare e non a te che eri bravo, che eri buono, che vuoi avere tante benedizioni per quante ce ne hai fatte a tutti quanti cumba Colí.

O frat mí, o frat mí, u cerson, la mia quercia…

Candida se ne stava accasciata su una sedia, come priva di vita, poi tutt'a un tratto si avvicinava alla bara e sembrava posseduta da una forza sovrumana.

Oh la pupa, la pupa che mi comprasti. La pupa c'è ancora e tu te ne stai andando…

Vennero i braccianti dalle campagne, a raccontare di quando gli dava la pasta a credito, e vennero i piccoli proprietari, che da lui prendevano il concime e lo pagavano soltanto quando avevano venduto il raccolto. Vennero le femmine che gli vendevano le uova e quelle che per lui pulivano i lampascioni e la radica saponaria. Ognuno aveva qualcosa da raccontare, risalendo fino ai lontani tempi della guerra, quando Colino avrebbe potuto arricchirsi col mercato nero come avevano fatto in tanti, e invece non ne aveva voluto sapere, ma non si era mai tirato indietro quando c'era da far passare sottobanco un po' di grano o di ricotta, impedendo che molti di loro morissero di fame.

O frat mí, o frat mí.

Venne Lucrezia che si batteva il petto e diceva perché non sono morta io al posto tuo, io dovevo morire, che mi levavo d'annanz e tutti sarebbero stati piú contenti.

Non ci fu abitante di Grottole quel giorno che non passò a rendere omaggio. Nelle settimane, nei mesi e negli anni successivi a casa di Candida continuarono a bussare contadini che venivano a saldare i loro debiti, anche se avrebbero potuto farne a meno perché Colino li segnava in un modo che capiva solo lui.

In un angolo, stupita, Gioia osservava le prefiche. Mancava da Grottole da parecchio tempo, perché dopo il trasferimento non aveva piú voluto metterci piede.

Due anni prima, erano andati a vivere a Matera.

Rocco si era messo in pensione per riavvicinarsi a Lucrezia, che si era fatta vecchia ma non voleva muoversi da casa sua.

Gioia avrebbe preferito morire piuttosto che lasciare Monopoli, l'appartamento al quarto piano nel condominio dei maestri, i balconi sull'aranceto, il mare in lontananza, le amiche, gli amici, le onde che lasciavano la battigia piena di conchiglie, d'inverno. Neanche Alba voleva andarsene. Rocco alla fine aveva detto che se le cose stavano cosí se ne sarebbe andato da solo.

Nel 1974, al referendum per l'abolizione del divorzio, Alba aveva votato no, il no aveva vinto e il divorzio era rimasto in vigore, ma lei non ne avrebbe mai sopportato l'onta. Era una cosa per donne che vivevano lontano, in grandi e agghiaccianti città del Nord, donne sfortunate picchiate da mariti violenti e alcolizzati. Suo marito non si era mai sognato di picchiarla. E allora di cosa poteva lamentarsi? Lo seguí.

Gioia aveva pianto fino a non avere piú lacrime il suo amore non ancora vissuto, la fine delle estati sui vespini degli amici, la masseria abbandonata dove non avrebbe mai abitato da grande, e il tradimento di suo padre. Rocco sperò a lungo che le sarebbe passata come da piccola le passavano il raffreddore e l'influenza. Per consolarla, o distrarla piuttosto, come faceva allora, non aveva trovato di meglio che comprarle un libro di cui quando era uscito avevano parlato tutti i giornali, ed era andato a ruba. Iniziava cosí: cazzo, cazzo, cazzo. Per un attimo, quasi suo malgrado, l'aveva fatta sorridere, poi fu una delle pietre che gli tirò addosso.

Oh frat mí, o frat mí. Oh la pupa, la pupa che mi hai comprato...

Gioia vide gli occhi di sua nonna riempirsi di passione come quelli di una sedicenne, passione carnale per quell'uomo che se ne stava andando. Passò anche Luigino la Ciminiera, e temette che le chiedesse un bacio, come quando era piccola.

Vicino alla bara di Colino c'era anche Clelia. Gioia le posò la testa sulla spalla.

Quando la bara calò nella terra niente fu piú come prima.

Fu Cataldo, Dino, l'unico che non aveva studiato, che ereditò il negozio e godette inizialmente di un periodo di inaudita prosperità. Fece piazza pulita delle anticaglie di suo padre. Iniziò a togliere pian piano gli articoli che gli sembravano superflui. Il sapone, la pasta, a che serve? A guadagnare due lire, ma chi se ne importa? Non si può fare tutto mescolato, cosí si faceva una volta. Tolse il concime, il grano, le ulive. Mammà, ma che ti credi che sono, una banca? Non faceva credito. La gente piano piano si allontanava dal negozio.

All'inizio degli anni Ottanta le figlie di Cataldo portavano un'eleganza che in paese non si era mai vista. Abiti firmati, che andavano a comprare a Bari, o a Roma, o a Milano, con la marca in vista come se fossero al rovescio. Armani, Missoni, Krizia, e nomi di altra gente che sembravano conoscere meglio di quelli dei parenti stretti. A valle si aprí un supermercato. Vendevano di tutto, come un tempo il negozio di Colino, ma le merci erano ordinatamente suddivise nelle scansie e non si faceva credito. Cataldo e la moglie passavano le giornate a sventolarsi nel negozio vuoto, facendo cruciverba. Grassi come foche. Anche i piú affezionati ormai non si facevano vedere. Corredi, non se ne vendevano quasi piú. E poi tutti avevano la macchina. Si poteva andare a Matera, a Bari. L'eleganza delle figlie restò invariata, anzi aumentò, e il frigorifero traboccava di roba mentre si riempivano di debiti con la banca e ipotecavano la casa. I vestiti all'ultima moda suscitavano l'invidia e i pettegolezzi dei pochi che erano rimasti in paese, ma non bastavano a riempire le giornate.

La piú piccola, Isabella, si alzava ogni giorno piú tardi per ingannare il tempo finché a un certo punto non si alzò proprio piú. Concetta, la maggiore, detta Tina, se ne andò in cerca di una passerella migliore per i suoi vestiti. Si aggirò, inciampando sui tacchi troppo alti, nella Milano da bere, il tempo necessario per trovarsi implicata senza nemmeno capire come in una storia di cocaina che costò ai suoi fior di quattrini per l'avvocato. Cosí diede anche lei il suo contributo al fallimento del negozio.

Cataldo finí a fare il portiere nel palazzo del fratello, ad Ancona, e la rovina economica fu una salvezza per tutta la famiglia. Isabella dovette alzarsi la mattina per andare a lavorare, Tina si rassegnò a sposare un vicino di casa che l'aveva corteggiata a lungo, invano, e si rivelò invece un ottimo marito. Cataldo e la moglie evitarono di annegare nel colesterolo che altrimenti li avrebbe uccisi.

Dopo il funerale Gioia e Clelia si allontanarono da sole, dietro il muro. Oltre il parapetto di pietra, sulla valle del Basento, il sole stava tramontando. I tralicci dell'Anic bucavano grosse nuvole rosse e viola. Camminavano dandosi la mano come se non fossero zia e nipote, ma due compagne di scuola delle elementari. Clelia aveva sostituito le camicie psichedeliche con gli stracci che comprava nei mercatini americani di Roma, dove lei e la sua famiglia si erano trasferiti. Tutti si voltavano a guardarle ma loro non ci facevano caso, o almeno non lo davano a vedere. Parlarono a lungo, di tantissime cose, certe a cui non avevano mai pensato prima e che inventavano là per là per il solo gusto di confidarsele. Tutt'a un tratto Gioia disse che aveva un unico desiderio: andarsene da Matera. Clelia restò un attimo in silenzio, poi cambiò discorso e iniziò a parlarle delle zone erogene, di autocoscienza e di dov'è posizionata esattamente la clitoride. Gioia annuí, spavalda e delusa, come se l'avesse sempre saputo. Quando tornarono erano tutti preoccupati per loro e le avevano mandate a cercare.

Quella sera mangiarono tutti insieme, in piedi, nella cucina. Tolsero i capocolli attaccati ai ganci del soffitto. Fu l'ultima volta che successe. Poi piano piano la casa si svuotò.

I figli le nuore e i nipoti non popolarono piú le stanze, i maschi nel salone a parlare di politica, le femmine in camera da letto a spettegolare, i bambini dappertutto a rincorrersi.

Candida si aggirò da sola nelle stanze ormai vuote deprecando l'altezza delle volte che assorbivano il calore dei termosifoni messi da poco e pregando inutilmente il padreterno di chiamarla a sé. Le volte sempre piú rare che i figli venivano a trovarla, la domenica o le feste comandate, non dispensava piú pacchi di pasta, pezze di stoffa, biglietti di banca e consigli. Ora che non aveva piú accanto suo marito, malgrado quando lui c'era avesse sempre comandato lei, non contava piú niente. L'unica cosa che non perse fu l'impertinenza. Continuò a rispondere con spirito alle prepotenze della vita, anche quando non le restò nient'altro. Era Alba adesso che aveva preso il suo posto senza nemmeno volerlo, come in un branco dove le leggi non sono sottoposte a nessun arbitrio personale.

Quando tutto fu concluso, dopo gli abbracci silenziosi e le strette di mano, Rocco Alba e Gioia tornarono nel fortino di cemento.

Cosí Gioia chiamava fra sé e sé la casa che Alba aveva voluto dopo il trasferimento. Una villetta unifamiliare circondata da quello che era stato un giardinetto e che Alba aveva fatto cementare, per via della polvere che le entrava in casa.

Era impazzita, quel giugno, per la polvere delle stoppie che si posava sui mobili coprendoli di una patina luttuosa e non bastavano a lavarla fiumi di vetril.

Al ritorno da Grottole Rocco andò a letto, mentre Alba e Gioia rimasero in cucina. Quella sera Alba provò a
parlare, dopo tanto tempo. Gioia non le somigliava, ma
sulle foto erano avvolte dalla stessa atmosfera. Era impossibile non capire che erano madre e figlia.

Che dice tua zia? Che deve dire? Quella... Cosa?
Niente. Da piccola volevi diventare ballerina, ti ricordi?
No. Volesti anche il tutú... Non me ne importa piú niente, adesso. I gemelli... Beh? Hanno lo stesso neo di zio
Vincenzo, non mi dire che non te ne sei mai accorta. Basta, lasciami in pace.

Quando Rocco entrava le stanze si riempivano di silenzio.

La politica non si faceva piú. Se ne parlava soltanto,
camminando su e giú per la piazza, le mani dietro la schiena, le volte che la domenica andavano a Grottole, con i cognati. Interminabili discorsi su ciò che avrebbe potuto essere. Su ciò che avrebbe dovuto essere. Contraddittori con
Mimmo, quelle volte che si incontravano, che da quando
si era trasferito a Roma aveva abbandonato il Pci per prendere la tessera del partito socialista guidato adesso da un
giovane leader aggressivo e dinamico: Bettino Craxi. Proprio Mimmo che nel '56, dopo i fatti d'Ungheria, era rimasto nel partito, e aveva cercato di convincere anche lui
a non abbandonarlo, sostenendo che in quel momento difficile bisognava dimostrare fiducia e coerenza. Adesso faceva strani e sofisticati discorsi dove il termine "moderno"
ricorreva ogni volta che qualcosa non tornava, e avevano
per Rocco, comunque li rigirasse, il sapore del voltafaccia.

Da quando si erano trasferiti a Matera gli anni avevano
iniziato a passare piú in fretta e sempre piú spesso Rocco
si sentiva sorpassato dai tempi. All'inizio ci restava male,
come quando ci si accorge per la prima volta di una ruga o
di un capello bianco, ma poi aveva finito per farci l'abitu-

dine e si era arreso alla vecchiaia senza piú opporre resistenza. L'entusiasmo che l'aveva sostenuto in tutte le attività della sua vita, anche quelle intraprese tardivamente, l'abbandonò. Niente gli sembrava valere piú la pena.

Iniziò a diventare irascibile. Sbottava per delle sciocchezze, con stupore di quelli che l'avevano conosciuto come un uomo ponderato e mite, e peggiorò con gli anni finché nessuno ci fece piú caso.

Un pomeriggio tornava da Grottole dov'era andato a trovare Lucrezia per trascorrere con lei, come faceva tre volte alla settimana, due ore in perfetto silenzio. Deviò senza nemmeno sapere perché per La Martella, uno dei villaggi rurali che erano stati edificati negli anni Cinquanta dopo la riforma fondiaria. Improvvisamente gli ritornò in mente la contentezza di allora. La piazza in festa, i braccianti, il ballo a casa di Mimmo, quello dove aveva incontrato sua moglie. Adesso solo poche case erano abitate. Le strade erano deserte come nei villaggi fantasma del Far West. I porticati disegnati dall'architetto Quaroni mostravano macchie di umidità e nei cortili destinati alle attività comuni spuntavano ciuffi di parietaria. Pioveva sottile sottile. Rocco si accorse all'improvviso che gli sarebbe piaciuto non tornare a casa, quel giorno. E nemmeno il giorno dopo e quello dopo ancora. Non tornare piú da nessuna parte. Perdersi nella campagna silenziosa, fra le linee ondulate delle colline.

Fece andare ancora per un po' la Volkswagen dritto davanti a sé, cullandosi in quell'idea, con lo sguardo che vagava nel verde tenero dei campi, poi invece quando trovò una piazzola di sosta fece inversione e tornò indietro, ma fu come se una parte di lui, forse la migliore, certamente quella piú viva, fosse rimasta lí, ad aggirarsi fra le strade deserte della Martella sotto la pioggia sottile, nella speranza sempre delusa di incontrare qualcuno, un abitante di quelle case, che facendoci ritorno si fermasse a parlare con lui e gli rivelasse in confidenza che era felice.

Dopo un periodo di lacrime e sonno una mattina Gioia si era svegliata che sembrava un'altra. Aveva strappato la foto che la ritraeva insieme al gruppetto di amici di Monopoli, Giovanni, Francesco, Porzia e Madia, una specie di fotomontaggio ottenuto sfruttando gli inganni della prospettiva, dove si vedeva lei che li teneva nel palmo della mano, scattata in una mattina di sole, al porto. Aveva smesso di farsi la ruota per allisciarsi i capelli, schifato le camicette bianche a pelle di cipolla perfettamente stirate da sua madre e i dolcevita di filanca blu da appoggiare sulle spalle. Aveva lasciato le Cambridge ad ammuffire nell'armadio, buttato nella spazzatura il lip gloss alla fragola e rinnegato i suoi sogni.

Per un periodo trascorse il tempo come faceva quand'era piccola, sfogliando i libri che aveva trovato negli scatoloni di suo padre, riemersi durante il trasloco, come per miracolo, da un'epoca che nessuno ricordava piú. Trotskij, Engels, Gramsci. La rivolta del proletariato si confondeva con la sua rabbia per la spensieratezza che le avevano rubato. Ogni tanto si soffermava su una frase che le suonava bene e la trascriveva senza capirla sul suo diario scolastico con le illustrazioni di Jacovitti. Ma dopo un po' tutte quelle parole difficili le facevano venire il mal di testa.

In una scatola mezza sventrata che era rimasta in cantina scoprí una rivoluzione molto piú divertente. Lesse uno dietro l'altro: *Il riposo del guerriero*, *Bonjour tristesse*, *Le piace Brahms*. Conobbe la luce dorata della Costa Azzurra, gli amori dagli incerti confini, vissuti senza rimorsi e senza vergogna, il candido cinismo, le polverine, le passioni maledette, gli inverni parigini. Quella era casa sua. La nostalgia della Costa Azzurra che non aveva mai visto si fondeva con quella del suo piccolo paradiso perduto, lasciando nel fondo solo un dubbio: era proprio suo padre che aveva comprato e poi letto quei libri cosí biricchini? Arrivò alla conclusione che il loro posto nella sua biblioteca fosse dovuto unicamente a uno scrupolo di esaustività letteraria e desiderò una vita che non aveva niente a che fare con quella dei suoi. Una vita tutta da inventare.

Nell'attesa, iniziò a frequentare certe case dei Sassi che si erano riempite di scritte sui muri e di ragazzi che tutti vedevano di cattivo occhio. Venivano dai quartieri popolari, dove i loro genitori erano stati portati negli anni Cinquanta, dopo la legge sullo sfollamento dei Sassi. Facevano errori di italiano e infarcivano ogni discorso di parolacce. Le chiedevano in prestito qualsiasi cosa, maglioni, libri, braccialetti di perline, e non glieli restituivano perché lei era ricca e figlia di papà.

Quando tornava a casa Alba le ispezionava gli occhi con una lampadina tascabile, non per vedere se si era messa il rimmel, come faceva quando aveva tredici anni, ma perché in televisione avevano trasmesso un servizio su una terribile sostanza che all'inizio fa sentire felici e appagati come in un giorno di primavera, in un prato vicino a un ruscello, con la persona che ami, poi ti uccide un po' alla volta. Da qualche tempo sua figlia non le sembrava piú la stessa.

Se Gioia avesse potuto ripercorrere tutti i bivi della sua vita e ogni volta imboccare l'altra strada, quella che non aveva preso, sarebbe arrivata in ogni caso allo stesso punto, forse. La bambina che a quattro anni rincorreva la luna nella piazza di Grottole, che a sette era scoppiata a piangere quando lo zio le aveva regalato per Natale un ferro da stiro giocattolo, che a dieci aveva fatto con sua cugina un patto che molti anni dopo cercò invano di rompere, avrebbe potuto infilarsi in una via laterale in un qualsiasi momento della sua vita, e perdersi. O forse quelle che sembravano deviazioni erano la strada piú diretta, l'unica che poteva percorrere per arrivare a destinazione.

Quando metterai sentimento, a nonna?

Uno dei tanti giorni in cui saltava la scuola Gioia aveva conosciuto Alex, nei Sassi. Era un compagno magro con la camicia a scacchi e i baffi, come tanti. I capelli corvini con un po' di forfora. Muscoli d'acciaio e sguardo allupato. Le pollastrelle del movimento non avevano scampo. Passeggiarono a lungo, in silenzio, fra i calcinacci e le erbacce. Ogni tanto lui dava un calcio a un barattolo arrugginito e continuava a raccontarle una storia alla quale lei non sapeva se credere. Che aveva preso contatti con certa gente, a Roma. Che ora si stava nascondendo ed entro sera doveva andarsene in un posto sicuro dove nessuno potesse trovarlo. Le chiese di procurargli un sacco a pelo. Lei non sapeva se dargli credito, o se tutte quelle cose le stesse dicendo solo per rendersi interessante. Scelse, come spesso faceva, di non pensarci troppo. Si faceva affascinare dalle parole e dalle possibilità che aprivano. Tutto lí.

Portò Alex in una delle tante case abbandonate, nel Sasso Caveoso. Le era particolarmente cara. Aveva spesso sognato di abitarci, un giorno. Era tutto un intrico di stanze e stanzette, di antichi saloni e stalle, di grotte e cantine. Da una finestra si vedevano le rocce a strapiombo sulla Gravina che diventavano rosa con la luce del tramonto. Nella maggior parte dei punti il pavimento non c'era piú. Per terra crescevano le ortiche, e ciuffi di parietaria spuntavano sui muri. Le volte erano alte. In un angolo, che forse era stato una cappella, c'erano i resti di un affresco, una madonna col volto di ragazza. Una mangiatoia avrebbe potuto servire da letto. Cosí disse Gioia ad Alex, che annuí distrattamente. Sembrava inseguire un suo pensiero, e che tutta la situazione all'improvviso non lo interessasse piú.

Mentre stavano per uscire lui la trattenne. Lo sguardo allupato si fece ancora piú intenso, la inchiodò cosí. Gioia fece per scansarsi, provando una specie di disgusto, ma lui non glielo permise. La spinse contro il muro. Gioia protestò. Lui le stava già addosso. Ansimava. Gioia scostò il viso dall'altra parte. Disse di no. Le mani di Alex le avevano sollevato il vestito. Risalivano contro una coscia. Gioia si sentiva impotente. Un brivido caldo le percorreva il bacino, incollandola al muro. Si sentiva sciogliere dappertutto, come un galoppo di cavalli nel basso ventre, come un piccolo incendio sul collo, sulle labbra, come un'impressione di morire e di vivere, di perdersi e di trovarsi. Il disgusto aumentava, l'attrazione anche. No, protestò ancora una volta, piú debolmente. Alex le disse che era una borghese, si vedeva da come era vestita, da come si atteggiava, da come portava i capelli. La fece vergognare, mentre le infilava le dita nella fica, scorreva su e giú, e tutto diventava caldo e bagnato. Borghese, paure borghesi. Vergogna e desiderio. L'evidenza dell'eccitazione che contraddiceva tutto. La bocca di Alex le prende l'orecchio. Lo morde, lo lecca, soffia e ci si tuffa dentro. Gioia si perde in un paradiso infernale. Borghese. Le tocca i seni, le strizza i capezzoli. Gioia sospira, ansima. Alex odora di sudore, ha una maglietta di cotone ruvida che sfrega contro la sua pelle. Si spinge contro di lei. La schiaccia al muro. La tira giú. La fa scivolare per terra, le gambe flesse e aperte, la gonna sollevata. Gioia ha paura che venga qualcuno. Lo dice. Alex non la sta a sentire. È da un'altra parte. In mezzo alle sue gambe. Spinge, ansima. Gioia ha paura. I suoi peli aggrovigliati sembrano formare un'ultima barriera per impedire l'ingresso. Alex mormora qualcosa che Gioia non capisce. Sembra contrariato. Nell'intreccio di braccia e di gambe, introduce nuovamente una mano. Fa del suo meglio. Scosta tremando i peli inzaccherati. Spinge, entra. Gioia grida di dolore. Pietruzze sotto le cosce. I capelli aggrovigliati contro le pietre umide e ruvide. Sangue.

Eri vergine? – chiede Alex stupito. Sembra appena tornato da un viaggio premio, lo sguardo liquido e placato. Vergine. Borghese.

Gioia scappò di casa il giorno stesso in cui compí diciott'anni. Lasciò una lettera, non cercatemi. Rocco la cercò a lungo, nei Sassi, salendo e scendendo scale, affacciandosi nelle case diroccate e attraversando vicinati deserti che non vedeva dai tempi in cui ci abitava, da studente.

Quando Gioia era nata, insieme alla contentezza Rocco aveva provato una leggera delusione che non aveva confessato nemmeno a se stesso. Sperava in un maschio, con cui sarebbe andato a pescare la carpa e la tinca giú al Bradano. Quando fosse cresciuto, avrebbero discusso di politica, accalorandosi. Un giorno si sarebbe accorto che ne sapeva piú di lui, e ne sarebbe stato fiero. La delusione iniziale aumentò man mano che Gioia da bambina diventava ragazza, e invece di giocare con lui al lupo e i tre porcellini parlava con sua madre di cose da donne in cui lui non c'entrava niente, e gli diventava ogni giorno piú estranea. Con l'andar del tempo aumentò anche l'amore che Rocco provava per lei. Un amore appassionato, diverso da tutti quelli che aveva sperimentato fino ad allora. Meno la capiva piú la amava. Piú pensava di capirla, piú l'amava per la ragione sbagliata, piú la amava, piú la vedeva come non era e desiderava darle tutta la felicità che non era riuscito a dare a sua madre. Vagò a lungo nei Sassi, credendo di vederla in ogni ombra, invano.

O frat mí, o frat mí, o frat míííííííííííííííí.

III

*Arrivarono inverni gelati, che indurirono la terra e spaccarono i piedi coi geloni. Il tulle del vestito da sposa venne mangiato dalle tarme e il verderame rosicchiò le brocche. Pino la Mezzalingua scese al fiume inseguendo una ragazza coi capelli biondi che gli era apparsa in sogno e lo ritrovarono qualche giorno dopo con la pancia gonfia e la carne bianchiccia mangiata dalle carpe. Un bambino imparò a giocare servendosi del vento: lo faceva scorrere sopra la sua testa, se lo arrotolava intorno al polso, lo scagliava lontano e lo ritirava indietro, pieno di foreste, di montagne e di autostrade, e a partire da quel momento non ci fu più niente da dire. Ahi, ahi, ahi, mormorano le masciare di Salandra...*

## Capitolo ventunesimo

Hanno dai quindici ai trent'anni, sono una folla e si dirigono verso il lago. Vanno avanti alla cieca, attraversano stradine e gruppi di case mangiando würstel, gelati e angurie a piene mani, se li tirano addosso, si passano bottiglie di spumante e bevono a garganella. Alcuni sono nudi, altri drappeggiati in un tessuto azzurro damascato.

Fra di loro, una ragazza bruna coi capelli che si infiammano al sole ride e ride senza riuscire a smettere.

È vestita anche lei con la tenda del treno, arrotolata intorno al corpo come un peplo romano. Il treno che hanno assaltato tutti insieme quel mattino. Anche il ragazzo accanto a lei sta ridendo. Una coppia di mezza età sul ciglio della strada li guarda scuotendo la testa. Il ragazzo ha la tenda del treno avvolta intorno ai fianchi e il torso nudo col torace glabro. Un foulard di batik bruciacchiato dal cylom legato intorno al polso. Fra lui e lei scegliere non saprei... Sembrano conoscersi da sempre, ma poi un gruppo di napoletani con un'enorme anguria dell'autoriduzione li raggiunge e li separa. Gioia ne prende un pezzo affondando le dita nella polpa color rubino. Il succo le gocciola sulla pelle abbronzata della spalla. Un ragazzo con un cappello a cilindro sorride e le dà una leccata. Lei lo guarda storto, poi risponde al sorriso. Una mano le chiude gli occhi. Nooo. Ero sicura che ci saremmo riviste! Dolce dolce dolce. Si abbracciano strette, strettissime fino a perdere il fiato, girano. Sapessi. Te lo ricordi quel tipo? Quale? Quello della mamma, che se l'era venuto a prendere mentre dormivamo ai Boboli.

Si sono perse su una piazza, dove non ricordano... Sapevo che ti avrei incontrata di nuovo, prima o poi. A Perugia, c'eri? Si solleva la polvere. Sono felici, felici e tristi, felici e in paranoia, felici e basta. E non se ne vergognano, anzi non perdono occasione per metterlo in mostra, e forse questo fa piú scandalo delle tette al vento e dei baci sulle labbra. Odiano i sacrifici, vogliono tutto e subito, poi si tuffano nude nel Trasimeno. Umbria Jazz 1978.

Una breve stagione di libertà e di appartenenza, confusa nella folla, nelle piazze italiane, Roma, Bologna, Firenze Ponte Vecchio, dorme con un ragazzo svizzero con la pelle liscia come una ragazza, dorme con un compagno calabrese, grida gli slogan P38 ti spunta un foro in bocca, si commuove alla vista delle bandiere rosse, usa le loro aste come mazze, si cala il fazzoletto rosso sul viso, pensa di avere il futuro fra le mani, alza il pugno chiuso come faceva quando aveva tre anni, fammi sentire a zio, come dici? Bandiera rossa la trionferà... la trionferà... I Lama stanno in Tibet, fuck your mother.

L'utopia è una terra che non c'è. È l'unica patria che Gioia può abitare.

Una parte di lei è rimasta a Monopoli, si è sposata, ha una figlia, una femminuccia. Suo marito è medico, primario del reparto di pediatria nell'ospedale di Putignano, faceva il classico anche lui, nella mitica terza B, e lei insegna Storia dell'arte. Passa le domeniche nelle stesse ville dove quand'era ragazzina sentiva le canzoni di Francesco De Gregori e il calore della pelle propagarsi attraverso il cotone delle camicie. Ascolta ancora Francesco De Gregori. Si veste in maniera moderatamente originale rispetto alle sue amiche. Non usa la parola "garbato", ma le sue amiche sí. Vorrebbe visitare Parigi ma non ci è ancora andata. È felice e non sa di esserlo.

La piazza è nostra e nostra è la città. La voce sale. Contro il carovita basta con le sfilate | esproprio proletario | rapina a mano armata. Un colpo di vento fa alzare la polvere. W il compagno Berlinguer Enrico | che con il comunismo non c'entra un fico. Un boato. La polizia che spara | non si tocca | vi fregheremo tutti | ci spareremo in bocca. Tremate tremate | le streghe son tornate. Non piú madri, mogli, figlie | distruggiamo le famiglie. Sa-cri-fi-ci, sa-cri-fi-ci. Scemo scemo, scemooo… Un rumore che cresce fino a diventare assordante.

Casa di Gioia e suo marito a Monopoli, nella vita che avrebbe potuto avere: appartamento al quarto piano coi balconi che guardano il mare, poco distante dalla scuola elementare che ha frequentato insieme alle due amiche del cuore, che sono tuttora le sue amiche del cuore e abitano poche strade piú in là. Una ha due bambini, l'altra uno solo, vorrebbe dargli un fratellino o una sorellina ma non arriva. Ingresso sul soggiorno open space con porta ad arco, cucina collegata al soggiorno tramite un passavivande che si trasforma all'occorrenza in un piano d'appoggio decorato con motivi floreali. Corridoio e due camere da letto, una per Gioia e suo marito, l'altra per la bambina. Studio del marito, ripostiglio-guardaroba e due bagni, piú uno piccolo di servizio. Accessoriata Guzzini, mobili in tek, tende fatte dal tappezziere, piatti dei servizi buoni avuti al matrimonio ordinatamente impilati negli armadi della camera da pranzo, asciugamani bordati di merletti fatti a mano da nonna Candida, da nonna Albina, da nonna Concetta, il corredo di lenzuola che accolgono la sua felice vita coniugale.

Non è il '68 è il '77, non abbiamo né passato né futuro, la storia ci uccide.

Sulle scale della chiesa Gioia brucia con l'accendino il biglietto da diecimila. Il compagno Salvo di Palermo la guarda ammirato. Guarda ammirato i suoi capelli che un raggio di sole fa diventare rossi e dentro di sé gli viene da piangere.

Da qualche parte, in un tempo cancellato dalla storia, Gioia cammina sul lungomare insieme a sua figlia, Alba, tredici anni. Un bel nome, le dicono le compagne di scuola. Con lei Gioia ha un rapporto davvero speciale, che le piccole scaramucce fra madre e figlia adolescente non turbano ma anzi rendono ancora piú intenso. Gioia non deve dire di no due volte su tre come faceva sua madre quando sua figlia le chiede un paio di jeans di marca, una T-Shirt profumata, o colorata, roba del genere insomma. Piacevano tanto anche a lei, da ragazzina aveva una maglietta con una grossa fragola proprio sulle tette, che profumava davvero, e tutti i ragazzi venivano ad annusarla. *Smell*, c'era scritto, se non ricorda male. Ha fatto un buon matrimonio, può dire alla piccola Alba io alla tua età, anche se tutto considerato i piccoli sacrifici imposti dalla recessione degli anni Settanta non le sono mai pesati piú di tanto. L'austerity, domeniche in bicicletta, se non vuoi andare a piedi compra l'asino... Non le hanno impedito di frequentare quegli amici della Monopoli bene pieni di ville, di moto e di attenzioni, uno dei quali, il suo secondo fidanzato, ha poi sposato. Rocco, suo padre, stravede per la piccola. Quando non va a prenderla a scuola e non la accompagna a danza o a pianoforte passa il tempo col gruppo di maestri in pensione che si riuniscono ancora nelle case di campagna dove un tempo ballavano, a parlare delle tirannie dei nipoti. Da quando è nata non si ricorda piú di andare a Montescaglioso, un paesino in provincia di Matera, a salutare la vedova di un militante comunista, come prima faceva puntualmente almeno una volta l'anno. Non ha mai smesso di andare a trovare Lucrezia, invece, finché lei non li ha lasciati alcuni anni prima. Il giorno dei morti tutta la famiglia va a rendere omaggio alla sua tomba, nel piccolo cimitero di Grottole ornato di fiori.

Parlerò a titolo strettamente personale. Parlerò a nome degli Elfi del bosco di Fangorn, dei Nuclei Colorati Risate Rosse, delle Cellule Dadaedoniste, di Godere Operaio…

Gandalf il viola, nel palazzo della Stampa estera, a Roma.

L'aria è spessa. Gioia è un puntino lilla in fondo alla sala, o forse è quella nuvola di pizzi e di merletti, quel gonnellone a fiori, quel vestito di garza rossa trasparente che non è riuscito a impressionare la pellicola, anzi non c'è, non ci è mai arrivata, non è ancora arrivata, è arrivata troppo tardi, SPARATE AL TEMPO.

Non saprà mai se quell'altra vita sarebbe stata piú felice, o piú triste. Ogni tanto se l'immagina cosí.

Pranzo della domenica in casa di Candida. C'è anche Gioia, venuta da Monopoli col marito e la figlia. Sotto le volte decorate è apparecchiata la lunga tavola con la tovaglia delle feste. Candida, Alba e Gioia non si fermano un attimo, tolgono piatti, ne portano altri, tutti si arrabbiano, e dài, venitevi a sedere. Dietro di loro le foto. Le lauree, i matrimoni, i battesimi. Gioia col marito e la piccola Alba. Gioia che stringe la mano al professore. La prima donna laureata della famiglia.

RIVENDICHIAMO IL DIRITTO ALL'OZIO

Appare un annuncio su *Lotta Continua*: Via dallo squallore, dalla follia senza parole e dalle parole senza follia, dalla provincia che ti stritola, dalla vostra angoscia borghese, dalle tue promesse non mantenute, dai sogni che non sono miei. Eri dolce quando ero bambina ma adesso mi riprendo la mia vita, non cercarmi papà.

Rocco lo legge, a casa. Potrebbe averlo scritto sua figlia, o una ragazza come lei, a un padre che forse gli somiglia. In ogni caso quelle parole lo riguardano. Lui e Alba si parlano solo per decidere la lista della spesa. Alba marca il territorio con detersivi sempre piú potenti.

Ea, ea, ea… ah!

A Roma, sul ponte degli Angeli, Gioia vende orecchini di mollica di pane dipinti di azzurro. Sorride e tutti glieli

comprano, non sanno che poi dopo qualche giorno iniziano a sbriciolarsi. La vita è facile, non ci vuole niente.

Gioia trascorse alcuni mesi passando da una casa occupata a una comune, da un appartamento di studenti a un
attico pieno di ninnoli africani, si prese le zecche, mandò
dischi di musica atonale cinese alle due di pomeriggio su
Radio Onda Rossa, transitò per i collettivi di via del Governo Vecchio con addosso la camicia da notte di sua nonna, rifocillandosi a colazione di maritozzi alla panna per
compensare le notti in bianco. La vita le appartiene, la felicità è a portata di mano, basta prendersela, con le buone o con le cattive, ne è convinta, anche se c'era un rumore, la terra le trema sotto i piedi, lei pensava che fosse
perché tutto stava cambiando, e tutto sta cambiando infatti ma non come pensava lei, la festa era finita e lei non
se n'è accorta, anzi era appena iniziata, è iniziata senza
che lei nemmeno se ne rendesse conto la febbre del sabato sera. Listen to the ground, there is mouvement all
around... Una carta si solleva per un attimo e ricade, un
biondino le chiede di baciarlo, la guarda coi suoi occhi noc-
ciola dolcissimi, poi tutto finisce all'improvviso.

Figlia mia, dice l'altra Gioia, tu non immagini nemmeno il bene che ti voglio. Solo quando anche tu sarai madre potrai capirlo. Voglio darti questa collanina di oro rosso. Apparteneva alla mia trisnonna, Concetta. La seppel-
lirono, dicono, con tutti i suoi gioielli addosso, ma questa,
non so perché, restò fuori, forse le era caduta. E allora se
la prese mia nonna, Candida, e poi la diede a Alba, mia
madre, e io adesso la dò a te.

Gioia cammina nella periferia romana. La sua silhouette
si stampa sull'asfalto nella luce intensa del primo pomeriggio. Si guarda intorno, entra in un palazzo, sale al quin-
to piano, bussa a una porta. Piú su, due donne si mettono
a parlare sul pianerottolo. Il cuore le batte, poi sembra fermarsi. Consegna e se ne va senza voltarsi. Non sa cosa c'è
dentro. Non sa per quale motivo ha detto sí quando

gliel'hanno proposto. Forse è perché non è una che si tira
indietro, o perché la felicità spetta a tutti, e non c'è piú
tempo da perdere.

È TUTTO ROVESCIATO.

Si ritrova senza soldi. Con gli ultimi spiccioli compra
cinque gettoni del telefono. Li introduce, fa il numero.
Mentre cade il primo gettone, inizia a singhiozzare nella
cornetta. Il mattino dopo Rocco è a Roma, che si guarda
intorno spaesato nella stazione Termini. Gioia lo riconosce da lontano. È parecchio che non lo vede. Le appare
piccolo e invecchiato, fra i marmi fulligginosi dell'atrio.
Sembra aspettare anche lui, piú di lei, qualcuno che venga a prenderlo. Rallenta il passo.

Gioia si iscrisse al Dams, Discipline delle Arti, della Musica e dello Spettacolo, a Bologna. Cos'è che fai, danza?
Iniziò a studiare semiotica e a vestirsi di nero. La città dove aveva visto passare le pecore coi pastori nella chiesa di
San Petronio e la pietra diventare viva come il fuoco, dove aveva letto il suo destino disegnato nei geroglifici di un
tavolo dell'osteria al Pratello, dove aveva dispensato baci
col nome di Alice e attraversato i giardini Margherita mano nella mano col giovane tossico dagli occhi a mandorla,
era in lutto. Nei giardinetti di via del Guasto i reduci del
movimento si facevano le pere. Addossati ai muri ancora
pieni di scritte colorate, sotto i portici di via Zamboni, giovani scoppiati chiedevano cento lire ai passanti. In cucina
il compagno che nessuno sa come si chiama si avvolge nel
sacco a pelo e si volta dall'altra parte. È tutto sudato, si è
impasticcato, ha preso il Roipnol. A casa arriva la polizia.
Quel compagno te lo ricordi? Come si chiamava? Lucio,
Alessandro, no, Alex. Gli hanno trovato un'agenda con numeri e indirizzi. Gioia bussa a una porta. Il cuore batte, se
lo sente sotto la camicia come un passero spaventato, poi
sembra fermarsi. Consegna e se ne va. I no che non hai detto tu li dirò io. I no che non avete detto voi li dirò io. Dirò

tutti i no del mondo. Partirono quella notte stessa per Parigi. Nel treno, una filastrocca ronzava nelle orecchie di Gioia mentre guardava l'Italia allontanarsi: "ambarambà cicí cocò, tre civette sul comò, che facevano l'amore con la figlia del dottore…" E la Bastiglia dov'è? Coupé, coupé.

# Capitolo ventiduesimo

Quante cose può perdere un uomo eppure restare se stesso? Può perdere l'amore, il denaro, la posizione. Una persona cara. La dignità. Può sprecare il suo talento o perdere la sua grande occasione, mancare l'appuntamento al quale si è preparato per tutta la vita. Può perdere i suoi ideali, i suoi sogni, e alla fine anche la memoria.

E se un uomo fosse anche questo? Tutte le vite che avrebbe potuto vivere, tutto ciò che ha perso?

Questa è la storia di Spiros, che ad Atene nel 1980 saltò il muro di cinta della caserma dove stava facendo il servizio militare per incontrare una ragazza di diciott'anni, Eleni, e fare l'amore con lei nelle stanze chiuse per l'inverno della sua villa al mare. Fu scoperto e lo mandarono nei corpi speciali, di stanza a circa novanta chilometri da Salonicco. Non gli ci volle molto a capire che né la sua simpatia, sviluppata durante un'infanzia di privilegi e abbandoni, né la sua famiglia influente, avrebbero potuto salvarlo, alla lunga, dagli attacchi all'integrità dell'anima e ancora di più del corpo a cui era esposto giorno e notte, e l'unica salvezza gli sembrò la fuga, realizzata di lí a poco insieme a Eleni, che nel frattempo era riuscita a svuotare la cassaforte dei suoi. Con la somma scapparono a Parigi, dove si diedero alla bella vita per circa due settimane. In quanto disertore dell'esercito Spiros non poteva piú tornare in Grecia.

A Parigi, dopo i primi anni, Gioia aveva preso in affitto un monolocale nella rue des Rosiers, nel cuore del quartiere ebraico del Marais. Di quelli con cui era partita molti erano rientrati in Italia, ma lei no: era accusata di partecipazione a banda armata e aspettava il grande processo che l'avrebbe vista fra gli imputati minori. Aveva deciso di non presentarsi. In caso di condanna sarebbe rimasta per sempre in Francia.

Rocco tentava invano di farle cambiare idea. Doveva tornare, affrontare, risolvere. Terminare l'università, laurearsi. Lui e Alba guardavano lo stesso programma in due stanze diverse, la sera. Lui sul vecchio televisore in bianco e nero, lei su uno a colori che avevano comprato da poco.

L'appartamento della rue des Rosiers era una mansarda al settimo piano senza ascensore, con le scale a chiocciola che Gioia percorreva ancheggiando, sentendo l'antico dolore che si risvegliava e caricandosi di una rabbia che la portava dritta fino in cima, ai suoi venti metri quadri soppalcati dove si godeva la vista dei tetti di ardesia di Parigi. Lí Gioia amava guardare il cielo. Quei cieli vasti del Nord, con le nuvole colorate che si rincorrono e il vento rigido che sussurrava tagliandole le mani e il viso, i primi tempi, quando non aveva ancora capito come vestirsi. Solo al suo secondo inverno parigino acquistò uno di quei cappelli russi bordati di pelliccia che le incorniciava il viso da antica brigantessa, e aveva preso l'abitudine di non uscire mai senza guanti, né tanto meno di dimenticare l'agenda e il piano della metropolitana, di indossare certi cappotti lunghi fino ai piedi, di voltare la testa con discrezione quando vedeva un barbone che moriva assiderato e di non dire mai che era libera la prima volta che qualcuno la invitava.

Ogni angolo della città era pieno di ricordi anche se non ci era mai stata.

Il terzo inverno a Parigi Gioia si muoveva con disinvoltura anche nei giorni di nevischio, beveva vodka, conosceva a memoria tutte le linee della metropolitana, batteva i denti solo quando voleva attirare l'attenzione e spesso si sentiva felice. Amava Parigi come una creatura dal sesso ambivalente, nel cui fascino si perdeva e si trovava, un grande specchio dove guardare riflessa se stessa e i suoi sogni.

Un giorno, fra i vari lavoretti che faceva per mantenersi, le capitò di interpretare un piccolo ruolo, una profuga italiana, in un film in costume. Ho fame, doveva dire.

Lo disse tanta convinzione che il regista la notò. La invitò a cena e cercò di portarsela a letto. Lei non ci stette, ma fu cosí che le venne l'idea di fare l'attrice. Si ricordò di quando, bambina, faceva le facce nello specchietto retrovisore del maggiolone di suo padre: la povera ragazza ingiustamente perseguitata, l'innamorata, l'audace esploratrice di mondi sotterranei. Immaginò i suoi quando l'avrebbero vista sullo schermo. Ripensò a tutte le cose che avrebbe voluto fare o essere, quelle che aveva fatto davvero e quelle che gli altri avrebbero voluto per lei: troppe, si accorgeva adesso. Questa le sembrò metterle finalmente tutte d'accordo, concedendole il privilegio di vivere innumerevoli vite nel corso di una sola e di dare un senso a tutte le volte che aveva cambiato direzione. Era il lieto fine che prima o poi si era sempre aspettata di trovare.

Una sua foto con espressione intensa fu inserita nel catalogo di un'agenzia per attori. La petite italienne, dicevano per indicarla, e lei stessa, ascoltandosi parlare, si sentiva un po' esotica. Fra tutte le ragazze che spasimavano una parte nelle anticamere, non era raro che fosse lei a essere scelta, per il sorriso solare, o forse per la disinvoltura con cui entrava e usciva dai personaggi, come se non vedesse l'ora di diventare un'altra.

Mentre camminava lungo la Senna era felice come gli angeli che non hanno corpo, non invecchiano e nessuno li ama carnalmente. Diventò molto bella. Spesso gli uomini la fermavano per dirglielo e lei stessa si sorprendeva vedendosi riflessa nelle vetrine dei negozi. La sua irrequietezza, temprata dal gelo del Nord, produceva una luce liquida che le sfuggiva dagli occhi scuri come laghi vulcanici e tutto il suo corpo si era come sublimato.

Per qualche tardivo miracolo la bambina che macchiava e stracciava i suoi vestitini da bambola, facendo disperare la madre, era diventata una giovane donna perfetta come la materia inorganica, sottratta alle imprevedibilità del tempo. Parlando in quella lingua senza ricordi, ogni mattina poteva inventarsi un passato tutto nuovo che somigliava ai suoi vecchi sogni e portarselo dietro per il resto della giornata. Al supermarket, alla posta, sul tapis roulant.

Era libera. Piú di quanto sua madre, sua nonna e lei stessa sarebbero state capaci anche solo di immaginare. Ma a che serve?, si chiese una mattina, mentre si preparava per uscire. A chi ne avrebbe reso conto?

Ora che poteva essere chiunque, non era piú nessuno.

Continuò a fare le cose che faceva prima, come se quella domanda non le fosse mai venuta in mente: provini, feste, vernissages, passeggiate in posti cosí incantevoli da sembrarle irreali, ma adesso non le facevano piú lo stesso effetto. Iniziò a sentirsi fuori luogo nei salotti e nelle terrazze dei caffè. Si stancò di mangiare cibi elaborati e di spiegare a tutti che veniva da un posto chiamato Basilicata, mostrando il centro del tallone del suo piede per far capire dov'era. Troppe cose avevano bisogno di essere spiegate, e per le piú importanti non trovava le parole. In una soffitta della sua memoria si ammucchiavano strade, oggetti e visi che conosceva solo lei, e restavano lí a riempirsi di polvere. Certi giorni le sembrava di essere una roccia superstite da remote ere geologiche, talmente indurita che da un momento all'altro avrebbe potuto sbriciolarsi.

Anche con gli uomini le cose cambiarono, ma tanto di lí a poco la musica sarebbe cambiata per tutti. In ogni caso.

Da quando era arrivata a Parigi Gioia non era mai piú stata con un italiano. Aveva avuto nell'ordine: una serie non ben precisata di francesi, fra cui corsi, bretoni e altre minoranze etniche, con i quali aveva perfezionato le sue arti amatorie, ognuno dei quali dopo l'amore le aveva detto e ripetuto piú o meno con le stesse parole che era la donna piú bella e affascinante della terra e il piú grande amore della sua vita, finché i loro exploit erotici non avevano iniziato ad annoiarla. Un gruppo di inglesi, tutti graduati a Oxford o a Cambridge, scarsissimi in amore, ma che in compenso la incantavano con la cristallina pronuncia del loro "th" e il senso di soffocamento delle loro cravatte eatoniane. Poi ci furono un paio di canadesi, uno dei quali cosí grande e grosso che aveva paura di schiacciarla ogni volta che facevano l'amore. Molti americani, un portoghese nato in Madagascar che si chiamava Nuno, cioè "nessuno". Un colombiano sessantenne con l'anima di un bambino e la forza di un adolescente. Un messicano che la prese sul cofano dell'automobile di sua moglie, con cui l'aveva riaccompagnata a casa dopo una cena. Un sudafricano che faceva il cascador. Uno studente di Praga. Poi ci fu un turco, un cinese che la riempí di stupore, una modella finlandese e mai nessun nero. Poi smise del tutto.

La castità di Gioia arrivò da lontano. Lei che fra le lenzuola si era sempre applicata con entusiasmo, pian piano iniziò a perdere interesse alla faccenda, fino al giorno in cui si era addormentata sul piú bello fra le braccia del suo ultimo amante. Fra lei e gli uomini si era creata da allora un'estraneità priva di rancore, popolata soltanto da qualche fugace ricordo, e il suo corpo aveva smesso di invecchiare. Era diventato piú soffice e bianco, come di gommapiuma, e aveva iniziato a trasudare un'aria di noiosa serenità come quella che emana dal corpo delle suorine che dal suo felice letto coniugale sua nonna aveva tanto sognato di emulare.

Poiché i provini iniziarono a non dare piú esito e l'affitto scadeva comunque ogni mese, Gioia una mattina decise di rispondere all'annuncio di un call center erotico pubblicato da *Libération*. Si stavano diffondendo a macchia d'olio insieme al Minitel e a una malattia nuova che somigliava a un antico flagello di quelli che un tempo dio mandava sulla terra per punire gli uomini dei loro peccati.

Tempo prima, in agenzia, qualcuno le aveva parlato, infervorandosi, di una rock star barricata in una camera sterile perché anche un raffreddore avrebbe potuto ucciderla. Gioia l'aveva presa per una di quelle balle che gli attori amano raccontare quando vogliono rendersi interessanti, invece qualche tempo dopo la malattia era esplosa davvero, terrorizzando con le quattro lettere della sua sigla tutti quelli che fino allora se l'erano spassata, marchiando d'infamia chi la contraeva, falciando gay, drogati, promiscui e branchés e mettendo definitivamente fine all'epoca della liberazione sessuale. Farlo al telefono, adesso, era piú sicuro.

Si spogli e si tocchi, s'il vous plaît. Voglio vedere come si tocca. L'uomo in giacca e cravatta la guardava impassibile dalla sua scrivania di cristallo, nell'ufficio Hi-Tech con le grandi vetrate che davano sul seizième. Poco dietro, la Tour Eiffel. Perché, che c'entra, devo solo parlare, no? Crede che mi diverta? Ne ho viste a centinaia, molte piú belle di lei. Allora? Non ho tempo da perdere. Ma dove? Lí, sul pavimento. Un pavimento di legno lucido, a specchio.

Gioia cammina sul lungomare con sua figlia. Si alza un venticello primaverile. Mamma mi compri il gelato? Come lo vuoi? Alla fragola.

Come lo vuoi? Alla fragola.


Avvicinandosi il tramonto, i cespugli diventavano sempre piú polverosi, l'aria si faceva piú fresca e il rimbombo degli zoccoli sul terreno piú cupo. Il cavallo che stava dietro li raggiunse. Stavano oltrepassando il Cugno del Ricco. Dai campi si alzò un'allodola. Un ronzio sordo di insetti attaccò tutt'a un tratto e restò in sottofondo, persistente. Don Francesco Falcone aveva avuto un ultimo sussulto. Gli era tornato in mente quel pomeriggio di marzo in cui Concetta gli aveva mostrato il figlio maschio, e la felicità di quel momento. Dov'era adesso? Mentre la vita gli sfuggiva dalla bocca semiaperta aveva sentito che un giorno qualcuno l'avrebbe ritrovata, qualcuno che ancora non conosceva.

Una mattina di marzo, mentre tornava dal suo turno al call center, Gioia provò un'intensa nostalgia. Di cosa, non avrebbe saputo dirlo, mentre attraversava l'esplanade davanti al Beaubourg, zigzagando fra i musicisti ambulanti che iniziavano a sistemarsi sul piazzale, oltrepassando la zingara che vendeva i fiori, la signora col cane, i due marinai, l'orgue de barbarie. Le frasi che aveva pronunciato tutta la notte venivano a scontrarsi con quel pensiero: oui mon chou, oui mon poulet, oui, fais moi tout ce que tu veux.
Le scacciò via.
Mentre respirava l'aria pungente si sentí all'improvviso piena di energia e di speranza come non le capitava da tempo. Le sembrò di poter guardare lontano, oltre la linea dell'orizzonte. Alzando gli occhi vide scattare un minuto nell'orologio che faceva il conto al rovescio per la fine del millennio. Undici anni, 6 127 233 minuti. Provò per un attimo a immaginare tutte le cose che ognuno di loro avrebbe portato.
Continuò a camminare, seguendo un odore di burro, di caffè, di croissant appena sfornati, che si confondeva con la fragranza dei suoi pensieri. Si sentí felice, quasi euforica, come quella volta che da piccola aveva aperto la porta di casa senza farsi vedere da nessuno ed era andata da sola fino in piazza.
Ma appena svoltato verso la rue Rambuteau, un odore diverso, acre, la colpí. Sulle grate della metropolitana, un clochard dormiva con la bocca semiaperta ai piedi di

una boutique di moda. Non fece in tempo a cambiare traiettoria, quella volta. Un'altra frase, uno slogan del '77, si introdusse a tradimento fra i suoi pensieri. Meglio una fine disperata che una disperazione senza fine. Meglio una fine... Il cielo era limpido, la luce radiosa. Si sorprese a pensare che proprio la gioia l'avrebbe tradita, che i suoi sogni si sarebbero rivelati illusioni, che la sua vita avrebbe continuato a girare in tondo e le cose belle le sarebbero sfuggite di mano. Una carta un po' unta si alzò, sollevata dal vento, urtò contro il bordo del marciapiedi e ricadde.

Al semaforo stava per scattare il rosso. I pensieri continuavano ad affollarsi, sempre piú numerosi, mentre la macchina veniva velocemente verso di lei. Oui mon chou, oui mon poulet. E poi quell'altro slogan. La-di-stru-zione è-libe-razione. La-di-stru-zione è-libe-razione. Quando metterai sentimento, a nonna?

Uno stridore di freni. Gioia sbalzata sull'asfalto a qualche metro, la Citroën che gira su se stessa in un attimo in cui miracolosamente non passa nessuno. Dalla macchina scende un uomo. È alto, bruno, con la pelle olivastra e gli occhi neri, dolci, levantini. È Spiros.

L'ombra delle querce si allungava sul corpo immobile di don Francesco. Nel cielo ancora chiaro erano già visibili le prime stelle. I grilli non avevano ancora attaccato. C'era silenzio. Uno spasimo contrasse le sue membra. Si lasciò andare.

Non era successo niente. Spiros accompagnò Gioia all'ospedale piú vicino per verificare che non ci fosse un trauma cranico. Non c'era nulla, tranne un braccio contuso, qualche escoriazione e un grosso livido sulla gamba. Insistette per offrirle un caffè in un bistrot lí vicino.

Una grande pace. I grilli frinivano, poi smettevano tutti insieme, poi ricominciavano. C'erano le stelle.

Inizialmente, Gioia non fece caso a lui. Il petit crème che aveva davanti assorbiva totalmente la sua attenzione.

Mescolava lo zucchero e guardava fuori dalla vetrina, la gente che passava sui marciapiedi. Cercava di mettere insieme dei pezzi che non combaciavano, ma non glielo disse.

Lui non le disse che quella mattina aveva preso la sua ultima dose di metadone, che era sposato con una donna che lo manteneva, e che avevano una figlia, Sabine.

Quello che disse, invece, la fece ridere.

La Citroën fa marcia indietro. Cos'è? – ha detto Gioia. Lui è tornato indietro per guardare. In basso, sulla riva della Senna, una capra bruca l'erba che spunta fra le pietre. Non si capisce come sia arrivata lí. Dicono qualcosa, poi stanno zitti. Lei si volta verso di lui e improvvisamente lo vede.

La macchina è ferma vicino al fiume. L'acqua è vicinissima. È buio. L'oscurità li avvolge al punto che non possono guardarsi in faccia. C'è solo un riflesso sugli occhiali di lui e uno su quelli di lei, posati sul cruscotto. Hanno girato a lungo per trovare quel posto. Hanno parlato tutto il pomeriggio, hanno riso. Lei si è accorta tutt'a un tratto che si trova in macchina con uno sconosciuto, in un posto isolato e buio. Potrebbe violentarla e ucciderla. Nessuno sa che si sono incontrati. Potrebbe baciarla. Lei si ritrae da lui il piú possibile, schiacciandosi contro lo sportello. Non osa interromperlo mentre sta parlando della sua famiglia. La storia sembra non finire piú, si intreccia con l'eroica resistenza di una radio durante l'ascesa del regime dei colonnelli, e con le gesta di una donna che si chiamava Maria. Lei si vergogna di quello che ha pensato. Come ha potuto pensare che lui volesse baciarla?

Sono chiusi nella mansarda, da ore. A volte, mentre lui la prende, lei dice all'improvviso qualcosa. Lui risponde, e il ritmo rallenta. Si raccontano un pensiero, una fantasia, un ricordo. Piace a tutti e due prolungare cosí quel tempo, come se non dovesse finire mai. Il primo bacio è durato una follia, mezz'ora, tre quarti d'ora, un'ora, mentre stava finendo ricominciava, come una ruota che tocca terra e si solleva di nuovo, un circolo. Si sono riconosciuti e baciarsi è il modo che hanno per dirselo.

Il cuore di lui batte ogni volta cosí forte che sembra stia per scoppiare.

Che effetto fa? La prendi e il dolore smette. Quale dolore?

Un giorno lui guarda il suo corpo sul letto, le sue linee, sfiora il suo ventre. Da dove vieni? – le chiede. Non mi ricordo, ride lei. Sono sempre stata qui, con te.

Giú, verso l'Ai Mar, una rana iniziò a gracidare, poi altre la seguirono. Qualcosa fruscìò nel grano.

Lei capisce quello che lui prova, a essere separato dalla sua terra. Una terra secca, col mare. Vede nel suo corpo i tronchi nodosi degli olivi, quel legno duro, che affonda le radici nella terra pietrosa.

Le ricorda suo nonno da giovane, come l'ha visto nelle fotografie, i suoi zii, il padre che avrebbe voluto avere, il fratello che avrebbe potuto avere, compagni di scuola, il ragazzino con cui si tuffava dagli scogli piú alti, muretti a secco, mare, pomeriggi d'inverno, sere d'estate, novità, tristezza e gioia.

La loro pelle si assomiglia.

Vorrebbero conoscersi, per quanto è possibile in una stanza dove non c'è nessuno al di fuori di loro. Solo loro e quello che si dicono.

Spiros le raccontò la sua storia, nella mansarda dove andava a trovarla, di pomeriggio. La notte che disertò l'esercito. La Grecia dove non può piú tornare. Una volta Gioia non vuole aprirgli, dove va a parare una storia cosí? Lui resta lí. Resto qui finché non mi apri.

Tu chi sei, io chi sono, tu chi sei io chi sono, sono stata fortunata a incontrarti, tu che vuoi ascoltare la mia storia e forse alla fine mi saprai dire chi sono e io che voglio ascoltare la tua storia e ti saprò dire chi sei tu.

La storia di una partita a poker, di un terremoto, di un appuntamento continuamente rimandato.

Lei sa cosa vuol dire rimandare gli appuntamenti.

Le loro storie sembrano completarsi, una dà senso all'altra, diventano un'unica storia. L'unica storia possibile, in quella città dove nessuno li conosce. Una storia d'amore.

In alto, fra gli alberi, una civetta lanciò il suo grido.

Gioia pensava che lei e Spiros fossero due fiumi che avevano deviato il loro corso, e sperdendosi in terre estranee avessero perso la potenza del flusso e la sicurezza del letto, si fossero impantanati e incagliati nelle secche, dispersi in mille rivoletti fino a perdere la speranza di raggiungere la foce. Quello che sperava è che incontrandosi le loro acque si sarebbero unite, alimentandosi a vicenda, e avrebbero ripreso a scorrere placide e tranquille fino al mare. Ma non fu cosí.


Un giorno lui sparisce. Lei lo aspetta invano tutto il martedí, il mercoledí, il giovedí, poi tutti i giorni della settimana successiva e di quella dopo ancora. Si accorge che sa tutto del suo passato, e del suo presente solo quello che hanno condiviso nella mansarda o per le strade di Parigi, giorno per giorno, minuto per minuto.

Non sa il suo numero di telefono. Senza di lui non sa piú niente nemmeno di se stessa.

Posso darti uno schiaffo? Quando lo vedrà vorrebbe dargli uno schiaffo. Uno schiaffo? Come? Per poterlo perdonare. Piano però. Non troppo piano, non troppo forte. Togliti gli occhiali. Ecco. Sí.

Lo cerca nelle strade del quartiere latino, fra i ristoranti per turisti dove a volte andavano a confondersi nella folla. Lo cerca dalle parti dell'Hotel de Ville, dove l'ha incontrato, sull'Ile Saint-Louis, dove lui una sera, dopo un piccolo litigio, l'ha guardata in un certo modo e lei gli ha chiesto che vedeva. Una donna prigioniera di una bambina, le aveva risposto.

Non lo trova mai.

Un giorno squilla il telefono. Gioia alza la cornetta col cuore che batte, come succede da quando lui è scomparso ogni volta che il telefono squilla. È il suo agente. C'è un regista che la cerca, un regista famoso che la vuole come protagonista per il suo film. Si gira in Spagna e in Normandia. Gioia resta zitta per un attimo, poi accetta. È la sua occasione. È la salvezza.

In tutti i giorni, le ore e i minuti in cui ha aspettato Spiros Gioia ha pensato parola per parola a quello che gli avrebbe detto quando l'avrebbe rivisto. Ha avuto il tempo per immaginare ogni frase, pausa, virgola e implicazione. Ha trascurato solo un particolare. Un giorno, a sorpresa, lui si presenta. Bussa alla porta. Lei pensa sia il runner che le porta le nuove scene del copione, apre sovrappensiero, spettinata. Spiros sta sulla soglia. Si guardano. La prima cosa che lui le dice, lei ride, e tutte le parole che ha immaginato, tutto quello che si è detta, il film, il regista, il suo futuro, anche lo schiaffo, all'improvviso non valgono piú nulla.

Spiros non dà spiegazioni sulla sua assenza, che tutt'a un tratto sembra contrarsi e diventare irrilevante. È tornato con un'idea di cui è entusiasta. Vuole portarla nel Midi, in Costa Azzurra. Non ha detto una volta che le piacerebbe andarci? Lí ci sono gli ulivi, il mare, i muretti a secco. Le spiagge che sognava. Le falaises. L'olio, l'aglio e la cipolla. Il sangue riprende improvvisamente a scorrerle nelle vene. Gioia risponde di sí senza pensarci un attimo. Che il giorno dopo iniziano le riprese del film, non glielo dice nemmeno. Non è la sua storia, quella. La storia che sta per vivere con Spiros, giusta o sbagliata che sia, quella è sua. Ora ne è sicura: con lui, solo con lui, è se stessa. Autentica come una moneta d'oro.

Hanno appuntamento il giorno dopo in place de la Bastille. Gioia ci va con un vestito che si è comprata per l'occasione. Un vestito azzurro intenso che le sta molto bene.

È bella, e qualcuno per strada glielo dice. È una giornata di sole, una di quelle giornate parigine col cielo limpido e aperto. Dal cantiere dell'Opéra Bastille i muratori si voltano a guardarla. Lui è un po' in ritardo. Mentre lo aspetta, Gioia guarda l'obelisco e pensa per un attimo a quell'aneddoto che suo padre e suo zio le raccontavano. Come faceva? Ma non ha tempo né voglia, adesso, di pensarci. Passa ancora un minuto, interminabile, in cui lui non arriva.

Le piacciono le sue mani sul volante, la padronanza dei movimenti, la decisione, la tenerezza. In macchina parlano, ridono, si toccano. È un mondo dove sono esistiti da sempre. Mentre stanno per arrivare sulla costa lui allude, un po' per scherzo un po' sul serio, a come sarebbe bello andare via insieme. In America. Lontano. Piú lontano possibile. Lei non ha dubbi. Laggiú, con lui, l'aspetta la felicità, ma non glielo dice, e risale con la mano sulla sua coscia, mentre la macchina attacca il tornante.

Arrivano che è tardi. Il ristorante sul promontorio è una luce isolata nel buio, sono rimasti solo pochi clienti, il cameriere dice che presto chiuderanno. Poco dopo sta apparecchiando per loro, all'aperto, con un leggero sorriso nello sguardo. Oltre la costa cementificata c'è il mare.

Durante la cena si alza il vento, il Mistral. Fa svolazzare i tovaglioli e la tovaglia, rovescia i bicchieri. E loro parlano. Di cose banali, dei film che hanno visto in quei tre mesi, dei libri che hanno letto, di un fatto di cronaca che ha riempito i giornali. Del loro animale preferito.

Il vento aumenta, è una specie di tornado. Volano i piatti, i bicchieri, le sedie e infine anche i tavoli. E loro continuano a parlare come se niente fosse, come se la vita insieme fosse sempre stata possibile, come se lí fosse la salvezza.

Dopo aver pagato il conto Spiros si alza per andare in bagno. Gioia resta ad aspettarlo. Guarda il vento che piega i pini marittimi. Tutto è perfetto. Il paesaggio, il momento, le circostanze, la luce un po' gialla che c'è nel cielo, la storia che l'ha portata lí, quella sera, a una trentina di chilometri dalla Ciotat. In quella Costa Azzurra che da ragazzina le sembrava irraggiungibile.

Si sente talmente felice che si alza per andare incontro a Spiros. Vuole dirgli dell'America. Di loro due. Scende le scalette di pietra con la balaustra di rami tenuti insieme da uno spago. Arriva giú. Oltre un angolo lo vede.

Sta parlando con qualcuno, appoggiato a una Saab nera che ora ricorda di aver visto arrivare poco prima. Dentro c'è una donna bionda, a Gioia sembra di riconoscerla, forse è un'attrice, e la sente ridere quando Spiros fa una battuta. Anche lui ride. Spiros porge all'uomo una valigetta. Il vento porta brandelli della loro conversazione fino a lei, poi la macchina riparte.

La camicia bianca di Spiros spicca nel buio. Adesso si volterà e la vedrà. Lei potrebbe far finta di essere arrivata in quel momento. Potrebbero baciarsi sotto il portico. Partire insieme per l'America. Ricominciare. Essere felici. Come se il segreto che li unisce non fosse un'antica vocazione al fallimento e la felicità quel venticello leggero che poco prima, per un attimo, li ha accarezzati di sfuggita, poi è diventato una tempesta ed è scappato via chissà dove.

Lui si volta, i loro occhi si incontrano, e tutto finisce in quel momento.

Non c'è piú niente da dire.

È l'ultima immagine che Gioia ha di Spiros. La camicia bianca di lui sulla sua pelle abbronzata si stampa nel suo cervello come impressa dal napalm. L'anello d'argento sul suo dito indice le si incastona nel cuore, e cosí ogni minuto che ha trascorso con lui, ogni gesto, ogni immagine, ogni parola, come le schegge di una bomba dopo l'esplosione.

Gli uccelli si misero tutt'a un tratto a fare un gran fracasso nel boschetto di querce che costeggiava i campi, poi ci fu silenzio. Il cielo stava schiarendo. Si avvicinavano i cavalli degli uomini che cercavano il corpo.

In quel momento si alzò il vento, un venticello fresco che veniva giú dai Cappuccini, piegando le spighe di grano ancora acerbe. La giornata sarebbe stata limpida. Fece svolazzare i capelli intrisi di sangue intorno al viso irriconoscibile di don Francesco, sollevò le foglie, e si allontanò verso l'Ai Mar.

Tornando a casa dalla gare de Lyon, l'indomani, frastornata dopo la notte trascorsa in treno, a Gioia sembrò di vedere suo nonno, Colino, di spalle lungo la rue de Rivoli. Affrettò il passo per raggiungerlo, col segreto desiderio che si voltasse e l'abbracciasse, sollevandola come quando era bambina, anche se sapeva benissimo che non poteva essere lui. E infatti di faccia non gli somigliava nemmeno.

Restò ferma sul marciapiedi. Mentre la gente la oltrepassava senza voltarsi, ripensò a certi pomeriggi trascorsi sulla loggia della nonna, al sapore delle olive, alla freschezza delle lenzuola e all'amarezza delle parole. Solo in quel momento si accorse di essere in fuga, di non aver fatto altro che scappare tutto quel tempo senza arrivare da nessuna parte.

Dieci anni dopo Gioia ricevette una lettera da Spiros, che era riuscito a rintracciare il suo indirizzo a Roma. Raccontandole la sua vita, le scriveva, aveva capito cosa fare. Coi soldi del business al quale lei aveva partecipato senza saperlo, e certi contatti che aveva preso durante la sua assenza, aveva vinto il processo che gli permetteva di tornare in Grecia. Aveva lasciato tutto. Era felice.

Sulla busta non c'era l'indirizzo, cosí Gioia non poté rispondere. Avrebbe voluto ringraziarlo, perché perdendolo aveva trovato qualcosa che cercava da molto tempo senza saperlo.

## Capitolo ventitreesimo

Non è facile raccontare questa storia a chi non conosce la valle del Basento, il cielo celeste come i colori a matita dei bambini, i pendii che il grano rende verdi a primavera e gialli d'estate, i fuochi nelle stoppie, i tralicci per l'estrazione del petrolio, i paesi agonizzanti sulle colline, il volo del nibbio.

Cosa c'entri con me non saprei dirlo. Somiglia all'espressione che mi scopro in faccia certi giorni, quando mi guardo nello specchio di sfuggita. A stati d'animo che mi assalgono all'improvviso, cosí profondi che sembrano esistere da prima che io nascessi. Somiglia alle domande che mi faccio e alle risposte che a volte trovo senza cercare. Agli imprevisti. Ai piani continuamente sconvolti. A tutto ciò che ha un senso, non importa quale.

Ci sono in certe vite momenti in cui le cose prendono una svolta inaspettata. Una specie di deragliamento. Inizi a vagare nelle tue giornate come nelle strade di una città sconosciuta. Osservi cose e persone che dovrebbero esserti familiari e non le riconosci. Non riconosci gli avvenimenti e le occupazioni che le riempiono.

Ti chiedi quando sia successo. Come sia successo e come hai potuto arrivare a questo punto. Ripercorri all'indietro, momento per momento, tutto quello che portava lí. I bivi, le diramazioni. Cosí senza accorgertene ti perdi nella storia. Nella tua storia, in quella che hai messo insieme un po' alla volta e che ti racconti ogni giorno per esistere. E solo quando torni indietro capisci che il tempo non è un cerchio, ma una spirale, e che lo sforzo che fai per abbracciare il passato ti proietta di nuovo con forza verso il futuro.

Nel mese di marzo del 1989 i giornali riportarono, come facevano già da un po' di tempo, notizie dal mondo comunista che si stava disfacendo. *L'Espresso* pubblicò alcune lettere tratte dalla rubrica dei lettori della rivista sovietica *Ogonjòk*, una delle piú lette nel periodo di Gorbaciov. C'era chi raccontava che la grande fame degli anni Trenta, in Ucraina, quella che aveva fatto strage di vecchi e bambini, era stata programmata da Stalin per costringere i contadini a lavorare nei kolchoz. Chi descriveva i privilegi accordati ai membri della nomenclatura, chi le falsificazioni della storia insegnate nelle scuole, l'occultamento di dati indispensabili per la ricerca scientifica, gli abusi nelle caserme, la mancanza di libertà. Alba lesse tutto questo in treno. Suo marito Rocco lo lesse a casa, dove era rimasto da solo, e il suo mondo vacillò fin nei ricordi.

A Parigi il 19 marzo del 1989 faceva piú caldo che a Matera.

Quando Alba scese dal treno alla gare de Lyon, con le ossa a pezzi perché non aveva voluto prendere la cuccetta, la prima cosa che si trovò davanti fu un grande manifesto con su scritto: "Liberté, égalité, marron glacé". Parigi festeggiava il bicentenario della rivoluzione francese. Immagini di Marianne, di Danton, Marat e Robespierre tappezzavano ogni muro. Il tricolore francese, bianco rosso e blu, colorava i gadgets che invadevano le vetrine dei negozi: spille, cravatte, accendini, tazze e mutande, piatti, bamboline, agende, calendari, portacenere, statuette, busti, pigiami e foulards. "Le bonheur de tous", la felicità di tutti, il fine ultimo della Dichiarazione dei diritti del 1789 era in vendita a prezzi modici.

Con il taxi, Alba passò da place de la Bastille. La Bastiglia non c'era. L'avevano buttata giú nel 1789. In quel momento Alba non pensava niente, aveva la testa vuota.

La casa di sua figlia era come se l'aspettava: disordinata. Dalla finestra si vedevano i tetti di Parigi. Aveva pensato tante volte che le sarebbe piaciuto andare a Parigi, ma non avrebbe certo immaginato che sarebbe stato in una circostanza del genere. Comunque non si soffermò su quell'idea. Diede al monolocale uno sguardo tecnico. Dopo un attimo si lanciò.

C'erano vestiti e libri sparsi dappertutto. Raggomitolate in fondo all'armadio, tutte aggrinzite e ingrigite, Alba trovò le lenzuola bordate all'uncinetto da sua nonna Albina. Si ricordò di quando Gioia aveva insistito per prenderle, scompagnando il corredo. Tanto non aveva intenzione di sposarsi, le aveva detto quel giorno. Lei aveva lottato con tutte le sue forze prima di cedere, e aveva avuto ragione, bastava guardare com'erano ridotte adesso, non sarebbero tornate bianche nemmeno con un litro di varechina.

I vestiti li mise da parte perché bisognava portarli via. Decise di lavarli tutti, prima di metterli nelle valigie. Dei libri invece fece degli scatoloni. Li avrebbero lasciati lí, poi si sarebbe visto. Alba inorridí considerando lo stato della moquette, piena di macchie e intrisa di polvere come se non fosse stata sottoposta a una pulizia a fondo da decenni. Giurò a se stessa che per niente al mondo si sarebbe mai lasciata convincere a mettere la moquette in casa sua, poi attaccò a pulire con una speciale schiuma che aveva comprato. La sera non si poteva muovere per il mal di schiena ma la moquette aveva cambiato colore. Ci mise tre giorni prima che tutto fosse in ordine. Quando ripartirono l'appartamento aveva uno scintillio sinistro, i vestiti di Gioia erano ripiegati nelle valigie, perfettamente stirati e odorosi di ammorbidente, e le lenzuola del corredo erano state tagliate a pezzi e usate come stracci per la polvere. Gioia fu portata con un taxi fino al vagone letto.

Per tutta la prima settimana Gioia non disse una parola. Sua madre la imboccava come faceva quando era piccola. Aveva iniziato a prepararle le stesse pappine, che le introduceva in bocca con pazienza, soffiando prima un paio di volte sul cucchiaio. I tre quarti del cibo restavano a freddarsi nel piatto.

Rocco entrava nella stanza della figlia una dozzina di volte al giorno. Non si tratteneva mai piú di dieci minuti. Restava in piedi, immobile, cercando qualcosa da dire, poi andava via. Dopo un po' tornava e ricominciava da capo.

Dalle villette limitrofe, che avevano costruito negli ultimi anni, arrivava il suono dei televisori. La sera, anche Alba giocava col telecomando, fino a quando si addormentava nella poltrona, ubriaca dei lustrini delle ballerine.

Un giorno Gioia fece ciò che faceva quando aveva otto mesi. Sputò la minestra in faccia a sua madre, poi disse che se ne sarebbe andata. Dove, chiese Alba, che non puoi nemmeno camminare. Dopo una settimana se ne andò.

A Grottole Candida la mise a dormire nella cripta sotto l'arcuofolo, vegliata dalle foto di suo nonno Nicola, della bisnonna Albina e della trisnonna Concetta, e dal ritratto di don Francesco Falcone che era stato trasferito lí. I lumini rischiaravano l'oscurità durante la notte. Le lenzuola di pelle d'uovo erano le stesse dove da bambina giocava alla capanna, ed erano fresche sulla pelle. Lí dentro il tempo era raccolto in bolla, girava intorno e tornava sempre allo stesso punto. La sua guarigione, all'inizio lenta, pian piano si accelerò. Riprese peso, le tornarono le mestruazioni. Riprese persino colore. Nelle rovine che aveva dentro si sollevò un venticello.

Quando, fra cent'anni, te ne andrai dal padreterno, le diceva Candida, gli dirai che hai visitato la Francia, la Spagna e l'Inghilterra, e sono stata qua e sono stata là, sono stata su e sono stata giú e ho visto questo, quello e quell'altro. Ah, deve dire il padreterno, e fesso io che sono rimasto qui e non me ne sono andato mai da nessuna parte...

Negli ultimi tempi Candida aveva cominciato a somigliare a sua madre Albina, e anche a sua nonna Concetta, che in gioventú erano tutte diverse una dall'altra ma andando avanti avevano iniziato a somigliarsi e arrivate verso la fine erano diventate identiche, come se in prossimità della morte l'essenziale fosse loro affiorato sul viso. Trascorreva la giornata al suo capezzale, sferruzzando quella che sarebbe stata l'ultima delle sue fatiche.

L'aveva iniziata quando aveva compiuto ottant'anni, quasi dieci anni prima, ma l'aveva interrotta mille volte, perché le facevano male gli occhi. Era un lungo arazzo per il letto, un disegno estremamente complicato, fatto col cotone piú sottile che si fosse mai visto. Candida parlava e faceva andare l'uncinetto senza nemmeno guardare le maglie, perché ormai non vedeva quasi piú e aveva le mani deformate dall'artrosi. Solo l'esperienza suppliva a tutto.

Fin dalla mattina, quando entrava nella camera di Gioia, iniziava a raccontare, come quella volta che da piccola le avevano tolto le tonsille. Lo zio Mimmo e le parolacce che aveva detto sull'altare, la nonna Concetta e quant'era buona coi poveri, quella signora di Milano, i barili di don Francesco... Storie che Gioia aveva sentito migliaia di volte, ma in quegli anni non ci aveva piú pensato. Adesso, riascoltandole, le sembrava che si mettessero tutte insieme, come i disegni di quei centrini che all'inizio erano solo maglie piene e vuote, archi di catenelle, rombi e colonnine, ma poi a lavoro ultimato formavano un disegno piú grande che non significava proprio niente, se non tutto il tempo e l'amore che erano stati messi per farlo.

Piú i giorni passavano, piú Candida veniva assorbita dalle sue storie. Il passato e il futuro se la contendevano. Il suo presente si assottigliava sempre piú, come una membrana che stava per rompersi.

Mi pare mille anni che sto qui, diceva la mattina, dopo aver preso il caffè. Mi è venuta la susta. E basta, sempre la stessa minestra! Ma quello, quel puzzolente che sta là sopra, ha cancellato il mio nome, non ne vuol sapere di chiamarmi. E io che volevo fare una cosa nuova. Macché! Guarda che fine ho fatto, chi me lo doveva dire, povera me.

Intanto, continuava a dare l'acqua alle piante. Quando una fioriva le brillavano gli occhi.

Vedo tutto diverso, se ne usciva all'improvviso un altro giorno, guardandosi intorno con curiosità. Tutto cambiato. Prima il mondo era facile facile, adesso non si capisce piú niente, quello che stava in cielo sta in terra, e quello che stava in terra sta in cielo. Le cose non sono piú le stesse. Tutto ho perso, proprio tutto, figlia mia.

Dove sei? Perché stamattina te ne sei andato alla bottega e non mi hai nemmeno portato il caffè?

E questa casa che fine farà? Apriva le porte, guardava le stanze, il salone, le volte dimezzate in alcuni punti per costruire soppalchi dove nei momenti di massimo affollamento avevano dormito figli e nipoti. Sembrava una mosca che cercava una via d'uscita. Vendetela, se trovate qualcuno che la vuole, e se no regalatela, va a fa fott. Che dovete venire a fare piú qui? Vuoi sapere che succederà quando sarò morta? Scalancherà. E fatela scalancare, va a fa fott.

La guardava all'improvviso come se non l'avesse mai vista prima, poi faceva uno sforzo di memoria. A chi appartieni figlia mia? Come ti chiami? Tutto mi dimentico, era buono che fosse soltanto il tuo nome. Scrivimelo sopra una carta che me lo metto in tasca.

Candida aveva tappezzato la casa di bigliettini che le servivano per orientarsi nello spazio e ancora di piú nel tempo, tenendo a bada i morti che con sempre maggiore insistenza venivano a mescolarsi ai vivi fino a non potersene piú distinguere.

Stanotte ho sentito i bambini che mi chiamavano. Dov'è mio marito? Dov'è mio padre? Dov'è mia madre?

Una sera, prima di mettersi a letto, Candida volle chiamare Cicia che non sentiva piú da anni. Compose il numero a memoria e dall'altro capo del filo dopo poco le rispose l'amica, che era diventata un po' sorda ma non si era persa d'animo. Parlarono senza cedere alla nostalgia di quello che avevano mangiato a mezzogiorno, del tempo e dei dolori. Poi Candida la salutò.

Una mattina Gioia sentí che le erano tornate le forze. La donna che veniva a fare le pulizie e a preparare da mangiare ancora non era arrivata, e neanche Candida si era ancora vista. Gioia fece forza spingendo sul braccio e si alzò. Le girava un po' la testa, ma provava piacere a respirare l'aria a pieni polmoni. Le bruciava leggermente la trachea mentre scendeva giú. Camminò a piedi nudi sui pavimenti di graniglia a fiori, freschi sotto le piante.

Passando davanti al salone vide filtrare sotto la porta una luce che non sembrava quella del giorno. Dentro, infatti, le imposte del balcone che dava sulla valle erano chiuse e il lampadario acceso. In mezzo alla stanza, la tavola aperta come non succedeva piú da anni, apparecchiata con la tovaglia ricamata delle feste. Nei dodici piatti l'antipasto con la salsiccia e l'uovo sodo.

Gioia spense la luce e richiuse piano la porta dietro di sé. Restò immobile un attimo, prima di muoversi. Respirò. Poi andò nella camera da letto, che era ancora avvolta nella penombra. Nel suo letto a due piazze abbondanti, Candida sembrava minuscola. Gioia si avvicinò e le prese la mano.

Mettimi la vesta nuova, a nonna, quella che ho pronta nell'armadio, disse Candida prima di andarsene, e fu la sua ultima civetteria.

Quando ebbe chiuso gli occhi, Gioia lasciò la mano di sua nonna, si avvicinò alla finestra e la aprí. Fuori c'era il sole.

Sentí all'improvviso una felicità immotivata, che non somigliava a nulla. Era un sentimento smagliante che nasceva nel punto in cui i suoi piedi toccavano la terra e le risaliva in ogni cellula del corpo. Era fatta di quel cielo leggero e celeste che aveva sulla testa, del silenzio delle pietre imbiancate a calce, dei gridi delle rondini, dei fiori sgargianti che crescevano lungo i cigli delle strade, azzurro pervinca, rosa, porpora, giallo, rosso intenso, a volte quasi dolorosi nella compattezza del loro colore. Una felicità antica che aveva dimenticato, ma era rimasta intatta da qualche parte. L'avrebbe ritrovata in certi momenti particolari della vita, in cui si sarebbe distratta e lasciata sorprendere, o si sarebbe innamorata, momenti di disperazione o di noia dal cui fondo le avrebbe fatto improvvisamente l'occhiolino, facendola sorridere senza un motivo apparente.

Si sarebbe ricordata allora di quando era regina, e del suo regno di cose, di persone e di fatti che esisteva sempre altrove nel tempo e nello spazio e solo in lei diventava presente: i pomeriggi di primavera, le tazzettine della madonna, Luigino la Ciminiera e Cacacespugli...

Per strada, fra la folla della metropolitana o nella fila di un supermercato, le sarebbero tornati in mente i ducati arrugginiti con cui aveva giocato da bambina, le mosche nella casa di sua nonna, le risate, i baci e tutto il resto. Il tesoro di don Francesco, sepolto nei racconti, nei rimpianti e nei sogni che oltrepassando il tempo erano arrivati fino a lei. Io sono Gioia, pensò, mentre chiudeva la finestra.

Restò qualche altro mese a casa con i genitori, finché non fu totalmente ristabilita. Partí a novembre, per Roma. Aveva la prima udienza del processo. La mattina della sua partenza, nel fortino di cemento i due televisori erano accesi e trasmettevano in diretta quello che stava succedendo a Berlino. Era il 10 novembre. Era caduto il muro. In cucina Alba friggeva le cotolette per fargliele portare nel panino. Gioia non osò ricordarle che da anni era vegetariana.

Prima di partire diede un'ultima occhiata all'unico albero che c'era nel giardino, una mimosa piena di fronde che durante la convalescenza aveva guardato crescere. In televisione la gente festeggiava la ritrovata libertà, avventurandosi oltre quel muro dove non sapeva esattamente cosa ci fosse. Gioia chiuse la valigia senza scordarsi nulla, salutò con un bacio i suoi genitori e partí.

In treno, nello scompartimento non c'era nessuno. Poggiò la valigia sul sedile accanto al suo, si sedette e guardò fuori dal finestrino.

La campagna ondulata che aveva cullato la sua nostalgia – nostalgia di un dolore carissimo, di lacrime, di curiosità insoddisfatta, di prigionia – adesso aveva perso la verginità. La linea armoniosa delle colline uniformi, tutte di un solo colore, estate e inverno – giallo, verde, marrone, come i sentimenti che albergavano non piú di uno alla volta nel cuore unilaterale degli abitanti di quella terra – era stata deflorata. Casematte di cemento, piloni, cartelli pubblicitari avevano introdotto angoli acuti e colori che lí non si erano mai visti. Non si capisce piú niente – le tornava in mente la voce di Candida, che poi sfumava nel rumore del treno, mentre lei sentiva sgretolarsi il suo cuore come quel paesaggio dove l'occhio non si perdeva piú se non per brevi tratti, urtava contro qualcosa e tornava indietro come un moscone impazzito sulle pareti di una stanza. Il nucleo rimasto intatto per secoli, o per millenni, si era frantumato nel giro di pochi anni, ma nessuno sembrava averci fatto caso. Lei che ci aveva scalciato contro, adesso si rammaricava della sua perdita e ne celebrava in silenzio un funerale senza lacrime.

*Ringraziamenti.*

Avrei voluto ringraziare tutte le persone che col loro aiuto mi hanno permesso di scrivere questo libro, ma andando avanti, nei sei anni che ci sono voluti per finirlo, sono diventate ancora piú numerose dei personaggi che lo popolano, e nominarle una per una è diventato impossibile. Prima di tutto vorrei ringraziare quelli che con i loro racconti lo hanno ispirato, soprattutto persone di famiglia, mia nonna Emilia in prima fila. Poi tutti quelli che mi hanno ospitata mentre lo stavo scrivendo. Quelli che hanno risposto alle mie domande, quando ho cercato di ricostruire storie, tradizioni e modi di dire. Parenti, anche questa volta, e gente di Grottole o dei dintorni. Alcuni di loro non ci sono piú. La signora Luisa che mi ha dato informazioni su Reggio Emilia. Mio padre che ha fatto una parte delle ricerche. I bibliotecari di Matera che mi hanno messo a disposizione libri e documenti. Tutti quelli che lo hanno letto per darmi un parere. Quelli che lo hanno letto per aiutarmi a trovare una casa editrice. Quelli che lo hanno scelto e l'hanno seguito fino alla sua versione definitiva perdendo la pazienza solo qualche volta. Grazie a tutti.

*Indice*

# I

# II

# III

*Stampato per conto della Casa editrice Einaudi*
*Presso Mondadori Printing S.p.a., Stabilimento N.S.M., Cles (Trento)*

C.L. 19159

| Edizione | | | | Anno | | | |
|---|---|---|---|---|---|---|---|
| 5 | 6 | 7 | 8 | 2013 | 2014 | 2015 | 2016 |